DÊ UM SALTO QUÂNTICO NA SUA VIDA

CARO LEITOR,

Queremos saber sua opinião sobre nossos livros.
Após a leitura, curta-nos no facebook/editoragentebr,
siga-nos no Twitter @EditoraGente e visite-nos no site
www.editoragente.com.br.
Cadastre-se e contribua com sugestões, críticas ou elogios.
Boa leitura!

WALLACE LIMA
DÊ UM SALTO QUÂNTICO NA SUA VIDA

COMO TREINAR SUA MENTE PARA VIVER NO PRESENTE
E FAZER O MUNDO CONSPIRAR A SEU FAVOR

Diretora
Rosely Boschini

Gerentes Editoriais
Marília Chaves e Rosângela de Araujo Pinheiro Barbosa

Assistentes Editoriais
Juliana Cury Rodrigues e Natália Mori Marques

Controle de Produção
Karina Groschitz

Preparação
Entrelinhas Editorial

Projeto Gráfico e Diagramação
Futura

Revisão
Sirlene Prignolato

Capa
Thiago de Barros

Impressão
Bartira

Copyright © 2017 by Wallace Lima

Todos os direitos desta edição são reservados à Editora Gente.

Rua Natingui, 379 — Vila Madalena
São Paulo, SP — CEP 05443-000
Telefone: (11) 3670-2500
www.editoragente.com.br
gente@editoragente.com.br

Dados Internacionais de Catalogação na Publicação (CIP)
Angélica Ilacqua CRB-8/7057

Lima, Wallace
 Dê um salto quântico na sua vida : Como treinar sua mente para viver no presente e fazer o mundo conspirar a seu favor / Wallace Lima. – São Paulo: Editora Gente, 2017.
 240 p.

 Bibliografia
 ISBN 978-85-452-0205-9
 1. Técnicas de autoajuda 2. Sucesso 3. Qualidade de vida I. Título.

17-1134   CDD 158.1

Índice para catálogo sistemático:
1. Técnicas de autoajuda 158.1

Agradecimentos

Hoje, o sentimento de gratidão faz parte da minha rotina diária. Estou consciente da importância de todas as pessoas que passaram pela minha vida. Sei que aprendi com todas elas, de alguma maneira, e isso me faz ser a pessoa que sou hoje. Inicialmente, quero agradecer aos meus pais, Artur Ferreira e Ana Magalhães, que foram os canais que possibilitaram a minha existência. Aprendi muito com eles e honro a existência dos dois em minha vida. Minha gratidão à minha irmã Etienne e ao meu irmão William, que já estão em outra dimensão da existência, e que sempre me nutriram com muito amor e carinho quando em vida. Minha gratidão à minha irmã Edilene, que, além de me apoiar desde o início na minha Jornada Quântica pela vida, é também uma amiga de todas as horas. Minha gratidão à minha esposa Jeanne Duarte, pela companhia amorosa e por todo o aprendizado que vivemos juntos e por ter, pacientemente, ouvido as minhas histórias quânticas e compartilhado do meu sonho de levar esses conhecimentos para o mundo. Minha gratidão às minhas filhas Ana Marta Teodósio e Tainá Alencar que desde o nascimento me impulsionam e me inspiram a ser uma pessoa melhor. Filhos são presentes eternos. Aos meus enteados Marina Duarte e Mateus Duarte, pela companhia amorosa e pela inspiração que também me proporcionam. Minha gratidão à Andrea Trigueiro, que fez a primeira revisão deste livro, e à Michelline Ferreira, minha sobrinha querida, que digitou pacientemente os rascunhos deste livro, ambas da Equipe Saúde Quantum. Minha gratidão ao amigo Jober Chaves, que indicou o meu trabalho para a Editora Gente. Minha gratidão à diretora Rosely Boschini e à gerente editorial Marília Chaves, que desde o primeiro contato acolheram o meu trabalho de forma sensível. Gratidão a todos os integrantes da Saúde Quantum que têm possibilitado que o meu trabalho seja levado a um número cada vez maior de pessoas, no Brasil e no mundo. Essa equipe maravilhosa faz toda a diferença na qualidade do meu trabalho e também me inspira a crescer e a evoluir todos os dias junto com eles. E, por último, minha gratidão ao Criador, Deus, ao Universo Inteligente, à Mente Cósmica, pela possibilidade de evoluir todos os dias se espelhando nas leis da existência e das experiências que me proporciona, inspirando-me a ser uma pessoa melhor a cada dia. Gratidão!

Sumário

Introdução 9

Capítulo 1
A desconexão com o Eu – Por que tudo sempre parece
vir com muita dificuldade? 15

Capítulo 2
A grande doença moderna 32

Capítulo 3
Estamos destinados a ser cansados e doentes? 49

Capítulo 4
Reprograme-se 68

Capítulo 5
Como fazer um upgrade na inteligência 97

Capítulo 6
Nutrição quântica 122

Capítulo 7
A abundância opera através de você 148

Capítulo 8
Cure sua alma, cure seu corpo 169

Capítulo 9
A conexão com seu mundo interior 186

Capítulo 10
Viva a vida dos seus sonhos 204

Capítulo 11
Um salto quântico na vida 224

Referências bibliográficas 235

Introdução

Se este livro, de alguma maneira, chegou às suas mãos, recomendo que o leia, pois nele há uma mensagem muito importante para você e para sua vida. Digo isso com base na minha própria experiência. Costumo entrar em livrarias e me deixar ser escolhido pelo livro que pode trazer alguma mensagem especial de que preciso e que será útil na realização do meu propósito de vida, ou que simplesmente poderá me trazer respostas claras para algum aspecto da minha vida ou do meu trabalho que estava em busca. Muitas vezes, esse livro me oferece ferramentas e conhecimentos que expandem as minhas lentes de percepção da realidade. Nas primeiras vezes em que isso aconteceu comigo, fiquei um pouco perplexo. Certa vez, no shopping Paulista, em São Paulo, encontrei na livraria o último volume disponível de um livro do qual nunca havia ouvido falar. O seu conteúdo foi muito esclarecedor para entender melhor o que já estava buscando para a minha vida e para fundamentar melhor o meu trabalho.

Foi quando descobri o trabalho de Carl G. Jung sobre sincronicidades, influenciado pela sua amizade com o físico quântico Wolfgang Pauli, prêmio Nobel, que entendi melhor as chamadas *coincidências significativas* e o nosso poder de atrair as situações disfarçadas de coincidências que se manifestam em nossa vida.

Este que você tem em mãos não é um livro comum. Você será convidado, no decorrer dos capítulos, a se desapegar de conhecimentos inúteis e verdades preconcebidas e mergulhar no âmago do seu ser em busca de soluções que devolvam o seu poder pessoal e que possibilitem a você reconectar-se com sua fonte criadora, que, no auge da sua inspiração, foi capaz de criá-lo à sua imagem e semelhança.

Em certo sentido, o objetivo deste livro é devolver muito do que já lhe foi tirado e que o deixa hoje desconfiado, desanimado, cético, com medo, inseguro, sem referências consistentes que lhe tragam de volta a paixão pela vida, o empoderamento pessoal e o reencantamento pela existência.

Sim, vou mostrar como tudo isso é possível e está ao seu alcance agora. O pré-requisito número 1 é parar de terceirizar a solução de seus problemas. Isso mesmo: assumir 100% da responsabilidade por tudo, tudo mesmo, que lhe acontece. Esse é o primeiro passo para conquistar a independência de você mesmo.

Como assim independência de mim mesmo?

Aos poucos, a ciência moderna de ponta está mudando paradigmas com base na Física quântica, na Neurociência e na Epigenética. Afinal, a realidade que cada um vivencia nada mais é do que uma projeção daquilo que acreditamos que somos com base em nossos pensamentos e sentimentos dominantes que impulsionam nossas atitudes, que estruturam nossos sistemas de crenças, que modelam nossas lentes de percepção do mundo, que condicionam nossas escolhas e que nos fazem atrair as experiências que vivenciamos. Simples assim!

Você pode ter se tornado viciado em ser quem é hoje e, por isso, não querer abrir mão da personalidade que criou e a que se apegou. Assim, não é capaz de criar uma nova realidade pessoal que lhe possibilite um caminho de realização pessoal e de prosperidade.

Agora, calma! A partir do momento em que você chegar a essa conclusão, é muito importante evitar reclamar de si mesmo. De fato, reclamar, queixar-se, vitimizar-se nunca foi e nunca será a solução. Neste livro, irei mostrar como essa atitude apenas contribui para congelar e perpetuar a realidade que você deseja superar, com base nos conhecimentos da Física quântica. Portanto, se reclamar não é a solução, qual é o caminho?

Quando nos acostumamos a reclamar com frequência, concentramos toda a nossa atenção em olhar para o problema em vez de olhar para a solução. Você verá que colocamos nossa atenção onde estão a nossa energia e a nossa vibração. Mostraremos, no decorrer do livro, que a qualidade de nossa energia e vibração está associada ao que os neurocientistas chamam de estado de ser, que é a forma predominante com que pensamos e sentimos. A ciência comprova que cargas elétricas em movimento criam campos magnéticos em torno delas. Como o ato de pensar dispara centelhas elétricas entre as células nervosas, nossos neurônios, e como toda a comunicação das células do nosso corpo se dá por meio do movimento de cargas elétricas, os cientistas mostraram que os pensamentos produzem campos elétricos e os sentimentos produzem campos magnéticos. Pronto! Agora você entenderá por que cada ser humano pode ser considerado uma antena emissora e receptora de sinais eletromagnéticos assim como o rádio, a televisão ou um aparelho celular.

Isso equivale a dizer que seus pensamentos, associados aos seus sentimentos, funcionam como canais de TV ou estações de rádios que emitem frequências específicas associadas àquilo em que acredita e que governa o seu mundo interior.

Em outras palavras, se o seu canal mental está na frequência da reclamação e da vitimização, você vai continuar atraindo situações e experiências para a sua vida que vão reforçar esse padrão. A ciência comprova que atraímos para a nossa vida aquilo que nós somos, aquilo que acreditamos. Isso é coerente, pois coloca em nossas mãos a responsabilidade total de mudarmos a nossa vida a partir da mudança do nosso canal mental. Portanto, para encontrar soluções para os seus problemas, passe a sintonizar seu canal mental em soluções e procure acreditar que elas, de fato, são possíveis.

Mudar a frequência do seu canal mental equivale a mudar o seu estado de ser. Isso implica, necessariamente, mudar a forma predominante como pensa hoje e se abrir para novas possibilidades. Implica, também, ativar novas sequências de células nervosas no cérebro que comunicam essa mudança, expressando novos sentimentos e emoções associados a uma nova química cerebral e corporal. O corpo, na sua inteligência, vai cuidar para que você se sinta da forma como pensa. No entanto, a alquimia não para por aí. A mudança da química corporal implica que, por meio da corrente sanguínea, uma nova informação, associada ao seu novo estado de ser, seja comunicada a todas as células do seu corpo que estarão agora em condições de acionar mudanças internas e alterar toda a fisiologia celular. É aí que entra uma peça fundamental desse complexo quebra-cabeças da existência: a Epigenética.

Essa área da ciência veio nos libertar da prisão associada à herança genética. Segundo diversos pesquisadores, o determinismo genético caiu por terra e, hoje, sabe-se que no máximo 5% das doenças possuem origem genética. A existência deixa claro que no jogo da vida nós é que escolhemos criar a nossa própria realidade.

A Epigenética mostra que a qualidade do nosso meio ambiente interno depende diretamente de nossas crenças dominantes e da forma como nos alimentamos todos os dias.

Os nutrientes ou antinutrientes oriundos do que comemos e bebemos, associados à química corporal desencadeada pelos nossos pensamentos e sentimentos, formam o meio ambiente interior que influencia o comportamento de cada célula do nosso corpo.

Reinventar a roda da vida

No decorrer do livro, você também vai aprender a acessar o campo de potencialidades por meio do seu estado de ser e, assim, escolher, de forma consciente, as infinitas possibilidades para manifestar a sua vida por meio dos conhecimentos da Física quântica. Você também aprenderá a utilizar 100% do potencial do seu cérebro para viver de forma criativa e conectado ao seu propósito de vida e a sua missão.

Além disso, saberá como acordar gens adormecidos por gerações, para possibilitar viver de forma saudável. No decorrer do livro você também aprenderá como sair da cultura da doença e viver numa autêntica e prazerosa cultura de saúde. Você conhecerá os caminhos para se prevenir naturalmente das doenças e promover a sua saúde cotidianamente.

Aprenderá ainda a reprogramar a mente e a desativar programas mentais que tiram sua energia, o sabotam e o desconectam da sua missão de vida. Você verá que é possível se reinventar, ou seja, que da mesma forma como se viciou em ser a pessoa que é hoje, pode treinar a mente para criar um novo eu, manifestar uma nova realidade pessoal e transformar problemas em oportunidades evolutivas.

Você entenderá que existe um caminho cientificamente comprovado no qual podemos ser os artesãos, os arquitetos conscientes da criação do nosso próprio destino.

Você saberá por que a gratidão está por trás da ciência da felicidade e por que sua prática funciona como um poderoso antidepressivo natural que atrai para o seu corpo os neurotransmissores associados ao bem-estar, ao bom humor, à felicidade e à qualidade do sono, que são a serotonina e a dopamina. Neurotransmissores são mensageiros químicos que melhoram a comunicação no sistema nervoso.

Também saberá por que o exercício do perdão e da reconciliação com todas as coisas tornará sua vida mais leve e livre das amarras do passado, aumentando seu potencial de atrair boas situações e experiências para sua vida.

É importante que você saiba que a ciência não está reinventando a roda da vida. Na verdade, a ciência moderna está apenas nos trazendo de volta ao nosso eixo criativo. Ou seja, está nos proporcionando a capacidade de nos reinventar, de sermos a nossa melhor versão. A ciência tem comprovado que estamos aqui para evoluir e que temos um mar de possibilidades, as quais só nós somos capazes de acessar e manifestar, por meio de nossa vontade e determinação de manter a nossa intenção focada e a nossa energia e vibração elevadas em relação ao que nos propomos realizar.

Foi-se o tempo em que éramos reféns da genética ou do meio ambiente em que vivíamos. Hoje, sabemos que não é mais assim e que se tomarmos a decisão de nos reinventarmos e de evoluir, teremos todo o Universo conspirando a nosso favor. São as nossas crenças que determinam a nossa biologia e que nos possibilitam emitir os sinais eletromagnéticos que atrairão a realidade que queremos viver. É por isso que podemos sim causar um efeito na realidade em vez de sermos apenas um refém do meio ambiente em que vivemos. Se você está querendo entender como o mundo de fato muda com a sua transformação, siga até o final do livro para se encontrar e celebrar o seu novo eu diante de um novo mundo.

Capítulo 1

A DESCONEXÃO COM O EU – POR QUE TUDO SEMPRE PARECE VIR COM MUITA DIFICULDADE?

> *Não há despertar de Consciências sem dor. As pessoas farão de tudo, chegando aos limites do absurdo, para evitar enfrentar a sua própria alma. Ninguém se torna iluminado por imaginar figuras de luz, mas sim por tornar consciente a escuridão.*
>
> C. G. JUNG

Não sei se você já teve a sensação de que a existência se assemelha a viver em um mundo em guerra permanente. Tem sempre um novo problema ou um novo desafio a ser superado. Também não sei se você já teve a sensação de que já viveu em vários mundos. Um deles, o mundo da criança impetuosa, criativa, curiosa. E o outro, dos adultos, previsível, chato, problemático, no qual precisou, muitas vezes, se mascarar para ser aceito, em que, às vezes, teve de se distanciar da sua essência, até quase perdê-la de vista, para poder sobreviver. Não sei se você já passou pela noite escura da alma – ou seja, por um estado extremo de desafios e sofrimento em que o mundo se parece com um inferno, sem solução. Em que há muitas dores físicas, emocionais e espirituais e a mente parece uma gangorra oscilando entre altos e baixos e desconhece o significado da paz interior.

Uma história que ilustra bem isso é a de Daniele Rolim, mineira da cidade de Poços de Caldas. Na época em que a conheci, em 2014, era arquiteta de formação e demonstrava uma profunda inquietação com a existência. Ela já havia buscado conhecimentos na área da Física quântica e chegou até mim por meio de uma amiga, a Marina Cruz, que acompanhava o meu trabalho e organizou uma palestra minha no Rio de Janeiro, sua cidade natal. Eu pedi a Dani para relatar como ela estava no momento em que nos conhecemos e vou reproduzir aqui algumas passagens desse relato para que entenda um pouco da vida infernal que ela levava até então:

> Você provavelmente sabe o que é sentir medo. Mas sabe o que é sentir medo o tempo todo? Comigo era assim: eu já acordava com um medo absurdo que me provocava muita ansiedade. Eu ficava o tempo todo tentando controlar meu dia ao máximo, passando na minha cabeça todas as possíveis situações que eu iria viver. Por exemplo, se eu fosse ao supermercado, eu já imaginava todas as possíveis situações e o que eu faria em cada uma delas. Minha mente buscava sempre todas as situações que podiam dar errado e eu já não vivia nenhum momento. Se eu estivesse conversando com você, não estaria ali por inteiro. Minha mente continuava a trabalhar os possíveis cenários catastróficos do momento seguinte. Minha frase mais usada quando estava com as pessoas era: o que foi que você disse mesmo?

Logo depois, Dani se tornou mãe de Anna Clara e a situação piorou ainda mais, tornando-se insustentável, segundo os relatos dela.

> Até que eu me tornei mãe e me vi em uma situação insustentável. Não estar presente já não colocava apenas a mim mesma em risco, mas minha filha. Eu tentava segurar os momentos com toda a força e era impossível e muito cansativo. Eu me tranquei em casa por três meses quando minha filha nasceu e continuei a projetar os minutos seguintes. Talvez

seja por isso que escolhi me graduar em arquitetura. Projetar momentos seguintes era o que eu fazia. Isso me gerava muita dor e sofrimento. Mas uma criança é uma caixinha de surpresas; eu tinha me tornado boa em projetar momentos e ter a ilusão de que tudo estava sob o meu controle, mas a chegada da Anna Clara mudou tudo. Todas as minhas estratégias eram ineficazes e eu sentia cada vez mais medo. Deixei de dirigir, pois podia ser perigoso dirigir com ela no carro e eu não podia prever tudo. Cheguei a ter medo de sair na rua. Minha filha estava com 4 anos e eu nunca tinha saído de casa apenas eu e ela. Minha maior tristeza era ver que ela estava crescendo e tudo o que eu tinha eram flashes de cenas desconectadas. Hoje, entendo que esses flashes eram memórias dos poucos momentos de presença. Costumava esfregar os olhos para poder realmente ver minha filha, olhar para ela de verdade. Não que eu a deixasse sem cuidados, ou que não brincasse. Apenas não estava inteira na cena e isso me fazia sofrer. Eu queria viver no aqui e agora para desfrutar momentos por inteiro com a Anna Clara.

Dani Rolim me contou que havia se deparado com um texto meu em que eu falava que o *presente é um presente.* Eu me referia ao fato de que viver no presente – no aqui e no agora, em vez de viver divagando sobre o passado ou o futuro – é um grande presente. Daí esse jogo de palavras de que o *presente é um presente.* Dani sempre foi uma buscadora, sempre leu muito e vivia em busca de respostas, seja nos livros, nas religiões, seja em conversas com amigos. No entanto, nas suas palavras, "todas aquelas informações estavam totalmente desconectadas do dia a dia. Como aplicar esses conhecimentos? Como viver presente no presente?".

Foi com esse cenário interior conturbado, com inúmeras perguntas, dúvidas, uma ansiedade imensa, depressão e um medo crônico da vida, que Dani chegou para participar, no início de 2014, da primeira turma do meu curso on-line avançado Salto Quântico.

Em 2014, foi lançada a primeira turma do Salto Quântico e eu me inscrevi. Depois, é claro, de ter projetado todos os cenários para isso também. Na verdade, se a equipe não tivesse me ligado para me dar suporte, o meu medo teria vencido. Hoje, já não tenho mais a compulsão de projetar cenários catastróficos prováveis, mas confesso que nem gosto de pensar como eu estaria hoje se não tivesse dado um sim ao curso. Eu fui entrando em contato com os conhecimentos, alguns deles não eram novos para mim. Mas algo aconteceu, só posso dizer que foi um salto quântico. Algo se conectou em mim e as informações começaram a fazer sentido. Conheci pessoas maravilhosas, a maioria no propósito de se transformar, viver uma vida mais plena e feliz. Minha gratidão especial a Lais Aidée, que me ajudou e me ajuda a sustentar este novo modo de ser. Experimentei o poder de estar em um ambiente enriquecido e com pessoas que conseguiam enxergar o meu melhor. Eu fui me observando assim também, fui praticando e me curando.

A Lais Aidée, a que Dani se refere, também era aluna da nossa turma I e também passou por um profundo processo de transformação. Hoje a chamamos de Embaixadora Quântica pela dedicação que teve em estender a mão a todos os demais alunos que precisavam de apoio na sua jornada evolutiva.

Como acompanhei a evolução da Dani desde o início da sua jornada no curso, posso dizer que presenciei de perto sua superação da *noite escura da alma* e que estou cada vez mais convencido de que quem busca acha. São inúmeros os casos em que tenho visto uma nova vida brotar de um solo aparentemente árido e sem vida. Hoje, estão muito claras para mim as reflexões de Joseph Campbell, considerado o maior estudioso dos mitos de todos os tempos, quando diz: "A noite escura da alma vem um pouco antes da revelação. Quando tudo está perdido e parece escuridão, em seguida vem a vida nova e tudo que é necessário".

Abrir-se para um novo mundo permitiu que a Dani abrisse as portas para que infinitas possibilidades se revelassem diante dela. Certo dia, ela teve a ideia de levar os conhecimentos da Física quântica, que estavam revolucionando sua vida, para a educação infantil. Ela ousou apresentar essa proposta para a diretora da escola de sua filha, Anna Clara, e foi surpreendida com o convite para implantar um projeto de Pedagogia quântica naquela instituição.

Naquele momento, a vida de Dani começava a tomar um novo rumo e ela nem mesmo podia imaginar que aquilo tudo era a ponta do iceberg do que estava prestes a acontecer. Entusiasmada, e até certo ponto surpresa, entrou em contato comigo para pedir apoio no projeto. De pronto aceitei e revisei seus textos, indicando referências e tirando suas dúvidas eventuais. Dani estava em êxtase com as novas possibilidades. Resolveu voltar para a universidade, dessa vez para cursar Psicopedagogia e ter uma base mais sólida para desenvolver o seu projeto de Pedagogia quântica. Vejamos o que ela diz sobre esse momento:

> Certo dia, tive uma ideia que logo comentei com a dona da escola da minha filha. Por que não levar a Física quântica para a escola? Assim que fiz a proposta, veio o convite para que fosse eu a realizar isso. Eu me coloquei em ação. De lá para cá, meus dias estão repletos de momentos criativos. Costumo dizer que temos duas escolhas: viver no modo repetição ou no modo criativo, em que as infinitas possibilidades existem de fato. Tive o suporte de que eu precisava para ser eu mesma. Entendi a importância de limpar registros, memórias do passado que se reproduzem. Dessa maneira fui criando novas redes neurais e sustentando uma nova versão de mim mesma. E eu não fiz isso sozinha. O professor Wallace, a Lais e todos os meus colegas também comemoravam essa nova realidade. E quanto mais pessoas observam a mesma realidade, mais fácil de se manifestar. É um processo, mas aprendi a me divertir na caminhada. Comecei dizendo que minha meta era transformar o mundo a partir da minha transformação. Confesso que ainda é, mas hoje entendo a frase que diz que a chegada não é mais importante que o caminho percorrido. Observar de forma consciente a realidade e transformar essa realidade de dentro para fora. Fato este testado e comprovado inúmeras vezes. Deixei de ser projetista do momento seguinte para viver os momentos no agora,

fluindo com a vida. O vazio criativo faz parte do meu dia e deixo a vida, o Universo, Deus, a Fonte me surpreender a cada momento. E quantas surpresas maravilhosas! Vou relatar aqui algumas delas. Criei o projeto Criança Quântica, voltei para a universidade e hoje faço parte de um grupo de pesquisa, organizei eventos, dei palestras e workshops e também atendo como terapeuta quântica, pois fiz várias formações nessa área. Muitas pessoas me procuram para lhes dar assessoria. Acabo de ser convidada para um evento em Juiz de Fora e vou palestrar ao lado do professor Wallace Lima. Neste exato momento estou escrevendo minha experiência para este livro. Tem ideia de como estou feliz? Um momento que está sendo bem saboreado, comemorado, assimilado, vivido de fato. Hoje, minhas memórias não são mais pequenos flashes desconectados e posso descrever minha experiência com gratidão e amor. Tenho desafios? Muitos. Mas aprendi a ser grata por cada um deles. Em cada desafio está escondida uma benção, agora sei disso.

Essa reflexão de Dani me remete a outra sábia citação do célebre mitólogo Joseph Campbell: "É caindo no abismo que recuperamos os tesouros da vida. Onde você tropeçar, aí reside o seu tesouro".

Estou convencido de que todo ser humano é dotado de uma tecnologia interior suprema que respalda as passagens das escrituras de que fomos feitos à imagem e à semelhança do criador, Deus. Ora, se somos feitos à imagem e à semelhança do criador, o que nos impede de acessar o nosso potencial de criar e de até fazer milagres como os que Jesus realizou e até maiores, como ele profetizou em João 14:12: "Em verdade, em verdade vos digo que aquele que crê em mim fará também as obras que eu faço e outras maiores fará, porque eu vou para junto do meu pai"?

É possível que você tenha sido desencorajado a acreditar nisso porque as diversas interpretações o fazem entender que não é capaz de se conectar com a fonte criadora e de também criar. Como estudioso das tradições espirituais do Ocidente e do Oriente, constatei que em todas as tradições existe a premissa de que podemos criar a nossa realidade conscientemente se acreditarmos de fato, o que equivale a ter a fé capaz de mover montanhas, e se mantivermos a conexão direta com a fonte criadora, que Jesus chamou de Pai. No decorrer deste livro vou justificar as palavras de Jesus com base nos conhecimentos da ciência moderna, assim como fundamentar cientificamente a fé e explicar por que ela realmente pode mover montanhas.

A cultura dominante nos ensina que devemos pedir a Jesus ou a Deus para que resolvam nossos problemas em vez de nos conectarmos a essa fonte criadora e agirmos de acordo com nosso potencial de cocriar nossa realidade. Essa cultura desempoderada estimulou uma prática de mendicância espiritual, por meio da qual somos motivados a buscar, fora de nós, a solução para nossos problemas em vez de investigarmos as potencialidades de que dispomos em nosso interior para pormos em prática a máxima que diz que a transformação é uma porta que só se abre por dentro.

O exemplo de Dani é notável, pois ela lia muito e tinha muitos conhecimentos. Buscou nos livros, nas religiões, em diversos lugares. No entanto, a prática de vida dela era desconectada, desempoderada, como acontece com muitas pessoas hoje e, por isso, existem tantas doenças, tanto sofrimento, tanta desconexão, tanta carência de viver a vida com propósito, com significado.

De modo geral, as pessoas gastam a maior parte do tempo fazendo elucubrações sobre experiências vividas no passado ou gerando expectativas sobre o que vai acontecer no futuro. Como o cérebro evoluiu com base em sua capacidade de fazer *download*, arquivando em pastas específicas (as redes neurais) todas as suas experiências desde que estava no útero da mãe, ele se especializou em simular as experiências que você já viveu, principalmente as negativas, com o intuito de protegê-lo e evitar que você repita as experiências dolorosas do passado. Se isso revela o lado bom do cuidado, da precaução, também pode levá-lo a um estado de paranoia crônica em que não consegue viver mais no presente e se torna um refém do simulador, que é o cérebro. Neurologicamente, o cérebro evoluiu dando muito mais atenção às experiências negativas, o que contribuiu para a preservação das espécies. No entanto, isso também explica por que as pessoas passam horas na frente da TV assistindo notícias e programações negativas e por que são tão suscetíveis a falar sobre notícias ruins, a criticar e a se sentirem vítimas das circunstâncias. Quando você não tem consciência da capacidade de seu cérebro de automatizar a projeção das experiências negativas que viveu no passado, você pode transformar a sua vida num verdadeiro inferno.

Isso acontece porque o cérebro não distingue se você está vivenciando uma experiência real ou se apenas está lembrando de uma experiência do passado. Em ambos os casos, as mesmas redes neurais, associadas aos arquivos dessas experiências, serão ativadas. Com isso, a química cerebral e corporal será ativada fazendo com que você sinta as mesmas sensações e as mesmas emoções de quando vivenciou a experiência de verdade, no passado.

Literalmente, quanto mais você der atenção ao simulador, mais viverá no passado e até mesmo as suas expectativas futuras serão simuladas com base no que viveu no passado. Isso o fará querer controlar o que vai acontecer no futuro. No entanto, você só conseguirá repetir, no futuro, o que já viveu no passado, daí a sensação de estar andando em círculos. Nesse estado, seu corpo se transforma em uma antena emissora do mesmo sinal eletromagnético que você já emitiu quando viveu a experiência no passado.

Por esse motivo, você atrai as mesmas experiências e, por mais que tente controlar o mundo exterior, só consegue ser controlado por ele. É nesse estado que muitos começam a reclamar, a se queixar e se vitimizar. Essas pessoas nem desconfiam que são vítimas de si mesmos, do próprio ego, que equivale ao registro de todas as experiências que viveram e nas quais acreditaram, sejam boas, sejam más. É por isso que, quanto mais reclamam, mais se conectam às experiências que gostariam de não mais viver e reforçam o padrão que gostariam de superar. Dessa forma, entram numa roda viva em que vivem em um processo de ativação automática daquilo que não querem viver.

Prisioneiras do ego, entorpecem o corpo com a química do estresse associada aos hormônios cortisol e adrenalina. O estresse é um estado no qual o corpo está constantemente em alerta, preparado para a luta ou para a fuga. Nesse estado, a questão principal é a sobrevivência. Assim, a tensão muscular aumenta e a irrigação sanguínea é direcionada para as extremidades. Braços e pernas poderão ser convocados para lutar ou para fugir em disparada a fim de se proteger de algum perigo iminente devido à situação emergencial criada pelo ambiente de estresse.

Os demais sistemas do corpo são colocados em segundo plano. Sistema digestório, sistema imunológico, sistema endócrino, sistema nervoso, sistema excretor, sistema cardiovascular, sistema reprodutor, todos os sistemas vão trabalhar em baixa uma vez que o estado de emergência disparado pelo corpo-mente é prioridade, pois a sobrevivência do sistema como um todo está em jogo.

No entanto, observe que o estresse pode estar sendo disparado por uma situação fictícia, fruto da imaginação. O cérebro simula a situação, você ativa os mesmos pensamentos e sentimentos associados à experiência passada e coloca o corpo no modo sobrevivência, num estado de estresse permanente. Com todos os sistemas do corpo desguarnecidos, é questão de tempo para que alguma doença se instale. Dores crônicas, gripes e resfriados, problemas digestivos, gastrite, úlcera, problemas cardiovasculares, enxaquecas, dores de cabeça e problemas de pele são algumas das possibilidades devido ao estresse crônico. O estado de estresse também contribui para a manifestação e o agravamento de doenças como síndrome do pânico, ansiedade, depressão, câncer, diabetes, fibromialgia e esclerose múltipla.

No caso de Daniele, era isso que estava acontecendo quando ela relata que sentia medo o tempo todo, o que a levava a um estado permanente de ansiedade, desde que acordava. O que a ajudou foi um texto que escrevi que começava com esta reflexão: "Viver no presente é o melhor presente que podemos nos proporcionar. Viva no aqui e agora e presenteie-se eternamente". Essa foi a centelha que a ajudou no caminho do despertar, pois em certo nível ela vivia num sono profundo dentro da noite escura da alma, nutrindo uma realidade ilusória que a levava a viver desconectada do seu eu e apenas contemplando as imagens fantasmagóricas pintadas pelo ego.

Costumo publicar frases como essa diariamente no meu Instagram (@wallace_liimaa_oficial) e na minha fanpage no facebook (/drquantico). São *insights*, reflexões em que busco exercitar o estado de presença, o modo criativo, em que me conecto ao meu Eu quântico, que me possibilita acessar o campo de potencialidades e ser um canal de expressão daquilo que vivencio, que faz sentido para mim e me transforma. Eu tenho um pacto selado comigo mesmo de só compartilhar aquilo que vivencio. Também tenho outro pacto que é o de compartilhar tudo, e não guardar nada só para mim, ou seja, aquilo que vivencio e que me transforma em um ser humano melhor e me faz evoluir. Dessa forma, crio uma conexão com as pessoas que precisam desse saber. No entanto, evito compartilhar o que ainda não experienciei e me poupo de dar conselhos sobre o que não conheço pela minha própria experiência. Isso me coloca em um campo do não julgamento e do respeito pelo que ainda não vivenciei pessoalmente.

Além disso, a ação de compartilhar aquilo que sei, a partir das minhas próprias experiências, me impele a exercitar a generosidade do repartir. Eu não seria a pessoa que sou hoje se não tivesse acessado inúmeros conhecimentos científicos e espirituais que também foram compartilhados por pessoas que vivenciaram experiências de transformação e autocura que hoje eu também posso vivenciar. Costumo receber diariamente inúmeros comentários nas mídias sociais ou por e-mail de pessoas que se sentiram tocadas por algum conteúdo que compartilhei. Além de ser muito gratificante, mostra quanto a nossa transformação pode contribuir para melhorar o mundo. Hoje, estou cada vez mais convencido da importância de vivermos no presente e valorizarmos os momentos em que estamos sozinhos para ter um diálogo franco e amoroso conosco mesmos.

É nesses momentos que podemos observar nossos pensamentos e perceber que não somos, muitas vezes, o que pensamos ser. Com frequência, nossos pensamentos nos remetem a aspectos condicionados que foram armazenados em nossa mente subconsciente, que nos lembra e projeta em nossa vida tudo aquilo que acreditamos no passado. Muitas vezes somos remetidos a memórias inúteis, que só nos rouba a energia e nos enche de preocupações desnecessárias.

O subconsciente funciona como um arquivo gigante associado ao que chamamos de ego. À medida que acreditamos em algo ou desenvolvemos uma habilidade, como andar de bicicleta, tocar violão ou dirigir um carro, nosso cérebro armazena a sequência de ações associadas a dada experiência e, assim que um gatilho for disparado, todo o processo se dá obedecendo a essa sequência de pensamentos, atitudes e comportamentos condicionados pela ativação das mesmas redes neurais que disparam e se conectam juntas, reproduzindo automaticamente todo o processo. E assim, após treino e prática, ao entrar no carro e colocar a chave na ignição, o cérebro já dá todos os comandos necessários para dirigir enquanto você pode, ao mesmo tempo, ouvir uma música, conversar com alguém ou pensar sobre a reunião que vai ter logo mais no trabalho.

O condicionamento das ações por meio do subconsciente, e a sua projeção no dia a dia, faz com que o cérebro gaste muito menos energia do que gastaria para iniciar um novo aprendizado ou adquirir uma nova habilidade. A vantagem desse processo é que automatizamos as ações e, assim, gastamos o mínimo de energia e de tempo para realizá-las.

O problema só aparece quando nos condicionamos a crenças e percepções limitantes sobre nós mesmos, sobre os outros, sobre a vida. Nesse caso, ficamos sob o domínio do ego no que se refere aos aspectos negativos de nossas experiências. Desse modo, tendemos a repetir as mesmas experiências negativas vividas no passado, fazendo-nos pensar que estamos andando em círculos e voltando sempre para o mesmo lugar. Treinar a mente para não ser um refém do ego e sempre repetir experiências negativas é um pré-requisito básico para quem não quer passar a vida reclamando porque as coisas não dão certo e se repetem ciclicamente.

A Neurociência revela que 95% das ações de uma pessoa acima dos 35 anos são comandadas pelo subconsciente, ou seja, são programadas. Em média, as pessoas demoram 0,5 segundo para responder a um estímulo externo, revelando o caráter automático e condicionado da maioria de nossas decisões. Quando não conseguimos viver no presente, nos abrir para novos conhecimentos, dedicar um tempo para ficar conosco, olhar para dentro e observar atentamente nossos pensamentos, a tendência é de que nossa vida seja guiada por ações automáticas e programadas. A frase a seguir é mais uma reflexão minha sobre essa temática:

Todo ser humano deveria reservar um tempo para estar consigo. Esse é o tempo para nutrir a alma, reconectar-se a sua essência. Observe seus pensamentos. Se estão no passado ou no futuro, são seu ego. Só no presente é possível criar e encontrar quem você é. Conecte-se consigo agora!

Esse estado de presença é que nos possibilita olhar para os nossos arquivos de memória e tomar a decisão consciente de criar uma nova programação. Toda memória que nos fragiliza, nos diminui e nos desempodera equivale a mentiras que nos condicionamos a contar para nós mesmos. Enquanto não tomarmos a decisão de enfraquecer essas memórias, deixando de nutri-las com pensamentos e ações, elas vão persistir e manifestar em nossa vida aquilo que nos mantém estagnados e infelizes.

Lembre-se de que memórias são pensamentos e sentimentos que, de tanto terem sido repetidos, se tornaram um hábito. Um hábito equivale ao condicionamento químico do corpo que envia sinais para que o cérebro nutra as suas necessidades. É assim que, nesse processo de automação, o seu corpo se transforma na sua mente subconsciente. É quando diante de uma barra de chocolate, de um refrigerante, um *fast-food* ou um copo de cerveja, você começa a salivar e o corpo viciado assume o controle e dá comandos para o cérebro, que automatiza a sua ação. O subconsciente não julga se uma atitude ou um hábito seu é bom ou ruim para a sua saúde ou para sua autoestima. Ele apenas obedece às ordens. Ele também não é seletivo. Ele apenas projeta na sua vida aquilo em que você acredita e se condicionou a fazer.

O que fazer diante da prisão da mente?

Você pode estar se perguntando: se eu criei memórias a partir das minhas crenças e percepções e se elas se repetem, automaticamente, de forma condicionada e o meu corpo pode se viciar quimicamente e se transformar na mente que desencadeia as ações no cérebro, então, a mente condicionada pode se transformar numa prisão?

Sim, essa é a má notícia. Se você repete diariamente as mesmas programações mentais e obtém sempre os mesmos resultados, é possível que seja um prisioneiro da sua mente-corpo. Observe que o termo mente-corpo é mais adequado, pois a ciência moderna comprova que mente e corpo funcionam como um único sistema, interconectados e inseparáveis. Quando você pensa e atribui significado a algo, imediatamente o seu corpo vai produzir uma bioquímica para fazer com que você se sinta exatamente como pensa. Por outro lado, se você assiste a uma cena de um filme que desperta em você um sentimento específico, imediatamente a sua mente vai entrar em ação e o cérebro vai vasculhar arquivos de memória fazendo com que você pense em algo associado à imagem que despertou tal sentimento.

A boa notícia é que, devido à neuroplasticidade cerebral (capacidade do cérebro de transformar sua estrutura) e à neurogênese (capacidade de criar novas células nervosas e, por meio delas, criar novas memórias através de novas experiências, em qualquer idade), podemos treinar nossa mente para criar novos hábitos e, desse modo, desenvolver novos condicionamentos saudáveis, que estimulam a nossa criatividade e renovam nossas energias. Treinar a mente equivale a criar, deliberadamente, uma nova programação, uma nova forma de pensar que repercuta numa nova forma de sentir e agir.

Foi esse o caminho que a Dani trilhou e que lhe possibilitou viver, hoje, de bem com a vida, com novas chances batendo a sua porta, periodicamente. Ela conseguiu superar um processo de aprisionamento mental e ativou o modo criativo a partir do momento que passou a viver mais no presente e descobriu que podia criar novas memórias para ser uma pessoa mais feliz e realizada.

Sou uma mãe mais presente e crio memórias felizes todos os dias. Tudo à minha volta está sendo afetado porque escolhi SER. Tudo começando a fazer sentido e a se encaixar no projeto maior que nos beneficia como humanidade. O que acontecerá amanhã? Não sei. Com certeza quando você estiver lendo estas palavras já terei tido muitas outras lindas surpresas. A vida pode ser mágica, basta que possamos perceber a magia escondida em cada instante!

Daniele Rolim abandonou de vez qualquer necessidade de controle que fazia dela uma pessoa aprisionada pelas expectativas que a torturavam e minavam sua segurança, e passou a ser uma pessoa que afirma com assertividade: "O que acontecerá amanhã? Não sei. Com certeza quando você estiver lendo estas palavras já terei tido muitas outras lindas surpresas". Dani saiu de um estado de aprisionamento, em que era dominada pelo medo e estava com a cabeça sempre no futuro, fazendo previsões catastróficas sobre o que podia dar errado, para um estado de empoderamento, no qual aprendeu a viver no presente e a desfrutar a magia de cada instante.

Além disso, ela se descobriu cocriadora de sua própria realidade, como nos ensinam os princípios da Física quântica. Eu vou apresentar como isso acontece, em detalhes, nos capítulos seguintes. Dani descobriu que é a clareza do sinal (pensamentos e sentimentos) que envia no presente, quando intenciona realizar alguma coisa, associada à ausência de expectativas, que faz com que se conecte àquilo que quer manifestar. Ela aprendeu a substituir o medo pelo amor. Vamos acompanhar mais um pouco da sua incrível experiência de transformação.

Tudo isso foi acontecendo em um processo, e descobri que é um processo sem fim. Descobri a dimensão da eternidade em mim, então por que ter pressa? Abandonei as expectativas. Hoje apenas envio o sinal claro do que desejo manifestar e me deixo guiar. Entendi que não somos criadores da nossa realidade, cocriamos com o TODO, com o poder maior que nos habita. O medo vai dando espaço ao amor. Hoje, me olho no espelho e amo quem estou me tornando. O que realmente importa é o momento presente, estar inteira e deixar-me guiar rumo à manifestação do que É. Aquilo que é não exige esforço, e quando percebo que estou me esforçando para realizar algo, sei que deixei o estado de presença. Agora sei como e para onde voltar. Esse mergulho em mim mesma aconteceu no curso on-line Salto Quântico, com o professor Wallace Lima, e é possível para qualquer um. Viver o propósito de vida já não são palavras bonitas escritas em um livro. Minha vida hoje conta essa história todos os dias.

E você? Como está sua vida hoje? Como lida com o dragão do medo? Lembro aqui Nelson Mandela que, na sua sabedoria, fez uma bela reflexão sobre o medo: "Aprendi que a coragem não é a ausência do medo, mas o triunfo sobre ele. O homem corajoso não é aquele que não sente medo, mas o que conquista esse medo".

Um dos propósitos deste livro é ensinar a você como é possível triunfar sobre o medo, conquistando-o, como sugeriu Mandela. E ainda reconhecer que somos herdeiros legítimos da inteligência colossal que rege todo o Universo. Essa inteligência amorosa e criativa nunca nos abandonará, pois o seu audacioso projeto é nos fazer reconhecer que somos criadores também e, assim, contribuir com a evolução incessante de todas as coisas e da inteligência humana que emerge dessa conexão com o todo.

O nosso objetivo com este livro é mostrar o passo a passo, embasado cientificamente, para você se reconectar ao seu lugar de honra, entendendo que o dragão do medo é apenas uma parte sua que quer ser conquistada para que você possa, enfim, se deparar com os tesouros que estão dentro de você e que também desejam ser descobertos para que, enfim, o amor triunfe sobre o medo. Assim poderá, no futuro breve, contar histórias tão espetaculares como a que Dani Rolim nos contou. Está pronto? Está pronta? Então, respire fundo, mantenha-se confiante: a jornada rumo ao seu novo eu está apenas começando!

Para dar seus primeiros passos, a seguir apresentamos uma tabela para que você escreva o seu estado atual e o estado futuro que deseja atingir. O objetivo é que ao final do livro você vislumbre o seu estado futuro e desenvolva uma profunda confiança de que conseguirá viver no presente e cocriar a realidade de seus sonhos, que seja boa para você e que, ainda por cima, contribua para um mundo melhor. Literalmente, você deve almejar se transformar na experiência que quer ver no mundo.

ESTADO ATUAL	ESTADO FUTURO
1. Quais os seus maiores medos?	1.
2. Quais o seus maiores desafios?	2.
3. Que crenças o limitam hoje?	3.
4. Quais talentos reconhece que tem hoje?	4.
5. Que talentos gostaria de desenvolver?	5.
6. Quais são seus pensamentos dominantes hoje?	6.
7. Quais são seus sentimentos dominantes hoje?	7.

Para ajudá-lo no processo, use também as afirmações a seguir para treinar a mente a dar novos comandos assertivos para criar novas memórias de poder no seu cérebro.

1. Eu sou herdeiro de uma inteligência maior que me projetou para ser feliz e próspero!
2. Eu mereço ser feliz e ser amado e vou conseguir isso de qualquer jeito.
3. O amor e a felicidade já habitam o meu coração e eu vou dar voz e vez a eles.
4. Eu reconheço e tenho clareza das causas do sofrimento e encontrarei dentro de mim o caminho para superá-las de uma vez por todas.

5. Eu reconheço e tenho clareza das causas da felicidade e investirei cada minuto da minha vida a fortalecê-las e ancorá-las dentro de mim.

Lembre-se de que o cérebro não diferencia entre o que você vive de fato e o que imagina. Por isso, antes de fazer as afirmações com uma intenção profunda, fique em silêncio e inspire e expire contando até cinco — ou o tempo que se sentir confortável —, depois prenda a respiração por cinco segundos. O ideal é que respire dessa forma por pelo menos três a cinco minutos. Assim, você ativará novas redes neurais associadas a esses estados possíveis que você vai afirmar e com isso iniciará um processo de treinamento emocional do seu corpo para viver nesse estado futuro desejado. A repetição dos exercícios vai fortalecer essas imagens no subconsciente e criará as condições para que sejam projetadas na sua vida futuramente.

Avante!

Capítulo 2

A GRANDE DOENÇA MODERNA

> *Nenhuma doença chega ao seu corpo apenas com o intuito de que o corpo seja curado. O corpo costuma denunciar desarmonias mais profundas que revelam, muitas vezes, uma alma que se desviou do seu caminho, do seu propósito de vida. A doença equivale aos seus bombeiros da alma. Cure-se de você!*
>
> WALLACE LIMA

Eu não sei se você já se fez a seguinte pergunta: Quem eu sou? Se ainda não, peço que faça agora. No entanto, procure não se limitar ao seu nome, sua profissão, origem familiar, cultural ou religiosa. Sugiro que vá mais longe e pense sobre o seu papel no mundo, sobre qual o seu propósito de vida, ou seja, aquilo que o motiva a acordar todos os dias e olhar para o mundo e ver sentido e significado em existir e seguir em frente.

Confesso que essa tem sido uma das perguntas mais frequentes que faço a mim mesmo. Faço esse questionamento quase diariamente, ao mesmo tempo em que também me pergunto o que preciso aprender de novo para me aperfeiçoar naquilo que sei. Outra pergunta frequente no meu repertório é: O que preciso desaprender? Que hábitos, crenças e percepções estão me levando a agir, fazer escolhas e me comportar contra meus próprios interesses? Recomendo que você também acrescente essas perguntas ao seu repertório. Eu já vou lhe dizer qual a importância disso tudo.

Dados da Organização Mundial da Saúde (OMS)[1] revelam que a cada quarenta segundos uma pessoa se suicida no mundo. Nos países pobres, a depressão é responsável por 50% desses suicídios; e nos países ricos, por 70% a 80% das mortes por suicídio. Segundo a OMS, a depressão aumentou quase 20% na última década e será a maior causa de incapacidade no mundo até 2020. A queda da produtividade e doenças relacionadas a depressão provocam perdas equivalentes a um trilhão de dólares por ano, estima a OMS. No entanto, quase metade das pessoas com depressão não foi diagnosticada nos países desenvolvidos, e esse número pode atingir 90% nas nações menos desenvolvidas, mostrando que a situação pode ser de gravidade muito maior do que apontam as pesquisas.

O Brasil possui o maior índice de depressão da América Latina e o segundo maior do mundo, a apenas um décimo de diferença do primeiro lugar, os Estados Unidos. Ambos os países estão acima da média mundial.[2]

No entanto, peço que não se deixe sugestionar por esses números. A minha intenção é mostrar as grandes oportunidades que se apresentam disfarçadas nos maiores desafios, sejam doenças, acidentes, perdas, decepções. Os índices preocupantes não apenas se referem à depressão, mas a todos os transtornos de ansiedade em que o Brasil é o recordista mundial, e ainda a doenças como câncer, diabetes, mal de Alzheimer e de Parkinson e inúmeras doenças crônicas responsáveis por 80% das mortes não violentas no país ao ano. Esses dados nos convidam a um olhar profundo para essa realidade e para seus porquês.

---

[1] Relatório "Prevenindo suicídios - um imperativo global" publicado em setembro de 2014 pela OMS.
[2] Dados divulgados pela OMS em fevereiro de 2017.

Passei a infância, a adolescência e parte da vida adulta padecendo de problemas de saúde. Perdi meus pais e meus irmãos mais velhos por doenças crônicas. No entanto, já estou há mais de 30 anos sem tomar medicamentos químicos, e posso afirmar com toda segurança que as doenças nada mais são do que oportunidades evolutivas. No momento em que tomei a decisão de parar com esses remédios para aliviar sintomas e comecei a investigar as verdadeiras causas do que comprometia a minha saúde, minha vida tomou um novo rumo. Foi a minha mudança de atitude perante a vida que me levou de uma situação em que eu era cronicamente doente para outra em que passei a viver com saúde crônica.

A dor é inevitável, o sofrimento é opcional

Ao observar os dados, às vezes penso que a nossa educação formal nos programou para sermos pessoas infelizes e doentes. O suicídio esteve entre as 20 principais causas de morte em 2015. Entre jovens de 15 a 29 anos, foi a segunda maior causa de morte nesse mesmo ano.

Já o mal de Alzheimer atinge de 5% a 8% das pessoas entre 65 anos e 70 anos de idade, e esse percentual passa de 40% a 50% para pessoas com mais de 85 anos. Hoje, nos Estados Unidos, é a doença mais temida na terceira idade, até mesmo mais que o câncer. É uma doença neurodegenerativa que debilita progressivamente o sistema nervoso central e, no início, leva à perda da memória de fatos recentes, mas com a progressão faz com que pessoas deixem de reconhecer entes queridos e até mesmo saber quem são. É também conhecida como a diabetes tipo 3, em função da elevação dos níveis de açúcar no cérebro. Hoje é uma doença associada diretamente ao estilo de vida, que pode ser prevenida com hábitos alimentares saudáveis e uma nova atitude perante a vida.

Se você deseja prevenir o Alzheimer, precisa entender este fato: tudo o que é prejudicial ao coração também é prejudicial ao cérebro, ou seja, devemos estar atentos à qualidade dos alimentos que ingerimos, ao nosso estilo de vida e à forma como gerenciamos as emoções.

Ao final deste capítulo darei algumas dicas de como se prevenir da depressão e do mal de Alzheimer de forma natural para que você possa promover a sua saúde no dia a dia.

Temos hoje um conhecimento científico vasto que nos possibilita distinguir as raízes mais profundas do sofrimento humano em todos os níveis. Estudos da Psicologia transpessoal apontam para a existência de traumas intrauterinos, que estão associados a experiências vividas pela mãe durante a gravidez. Por outro lado, o próprio ato de nascer traz um conteúdo traumático, e a transição do bebê de um ambiente seguro, escuro, no qual se nutre no útero pela placenta, para um ambiente desconhecido, iluminado e repleto de pessoas estranhas, por si só, gera dor e apreensão.

Hoje há um movimento mundial em favor da humanização do parto, o que parece ser surpreendente: em função da importância desse momento para a saúde física e mental dos seres humanos, todos os partos deveriam ser humanizados. No entanto, no Brasil estamos caminhando em sentido oposto e as mulheres foram desencorajadas de fazer parto natural, que é a forma mais segura e saudável de nascer. Esse rito de passagem tão essencial para nossa maturidade emocional e afetiva vem sendo substituído pela cesariana, que na rede privada atinge o índice de 80% de todos os partos realizados, tornando o Brasil o campeão mundial nesse procedimento e aumentando o risco de morte da mãe. A Organização Mundial da Saúde indica que o número ideal de cirurgias desse tipo deve variar entre 10% e 15%, apenas em situações em que a vida da mãe ou do bebê corram riscos com o parto natural . Trago essas informações para que você possa entender, por meio de dados estatísticos, a realidade em que vivemos hoje e perceber como ela aponta para a necessidade de olharmos para soluções em vez de olharmos para os problemas.

É claro que, nessa dimensão humana em que todos estamos, a dor faz parte de nossa trajetória. No entanto, a perenidade do sofrimento da humanidade demonstra quanto estamos apegados à dor, mesmo sem perceber, e repetimos os mesmos pensamentos, atitudes e crenças que reforçam a origem desse sentimento e eternizam esse estado negativo. É natural que uma pessoa em estado de sofrimento mental, emocional e espiritual adoeça no plano físico. Na verdade, a ciência reconhece a sabedoria inata do próprio corpo tanto de adoecer como de restabelecer a nossa condição natural de saúde. Quando o corpo adoece está nos enviando um recado assertivo. Na sua inteligência, ele está denunciando que não estamos conduzindo bem as coisas em nossa vida. Isso pode se dar no nível emocional, quando nutrimos pensamentos, crenças e sentimentos tóxicos, ou no nível físico, quando nos alimentamos de forma descuidada, nutrindo o corpo diariamente com inúmeras toxinas de produtos alimentícios oferecidos por uma indústria mais interessada em mantê-lo como consumidor fiel e dependente do que em produzir algo que contribua com a promoção de sua saúde.

A propaganda da indústria alimentícia atinge em cheio as crianças e os adolescentes com a divulgação de produtos cuja química leva rapidamente à dependência, como é o caso dos refrigerantes e salgadinhos. Em 2004, a Organização Mundial da Saúde reconheceu a ameaça de uma epidemia mundial de doenças não transmissíveis associadas à dieta alimentar, como doenças cardiovasculares, câncer, diabetes, obesidade, entre outras. Em função disso, a OMS preparou um anteprojeto sobre alimentação saudável, atividade física e saúde, intitulado *Relatório sobre dieta alimentar, nutrição e prevenção de doenças crônicas*. Nesse mesmo documento, há também recomendações sobre a regulamentação do marketing de alimentos, especialmente quando dirigidos a crianças. Uma criança educada com maus hábitos alimentares tende a ser um adulto dependente de produtos industrializados danosos à saúde.

Recomendo que você assista ao documentário *Muito além do peso*, da diretora Estela Renner,[3] para entender um pouco do processo de adoecimento infantil e de como o marketing de alimentos está por trás da propagação de uma cultura de dor e sofrimento em função das doenças crônicas associadas aos maus hábitos alimentares. São

---

[3] Disponível em: <https://www.youtube.com/watch?v=8UGe5GiHCT4>.

hábitos induzidos pelas mídias e pelos próprios pais, que desconhecem o potencial danoso dos produtos alimentícios e, mesmo quando conhecem, muitas vezes já estão condicionados e viciados em hábitos que os levam a adoecer. Uma pesquisa da Universidade Federal de Santa Catarina (UFSC), da cientista Aline Raquel Cazzaroli, revela que as crianças influenciam 70% das compras do núcleo familiar; quando se trata de alimentos, o número salta para 92%.[4] Por isso, se você está interessado que seus filhos cresçam de forma saudável, limite o que veem nos demais canais de TV e invista em ser o exemplo de cuidado consigo mesmo. A melhor forma de se educar ainda é pelo exemplo de quem somos, e não apenas do que falamos.

Perceba como a doença é um sinal do corpo convidando-o para que cuide melhor de você. Se em vez de cuidar-se, você agride o seu corpo com remédios químicos e mantém o estilo de vida que o faz adoecer, possivelmente passará o resto da vida enfermo. Cuide-se!

Essa reflexão tem a ver com meu próprio aprendizado. Passei muito tempo tomando medicamentos para sintomas; quando tinha 10 anos, minhas amígdalas foram retiradas por orientação médica. Vivia com crises de garganta e febre alta. As amígdalas inflamadas revelavam meu corpo acionando meu sistema imunológico a se defender, a reagir. Meu corpo estava suscetível a invasores. A região da garganta, energeticamente, está associada à expressão verbal, à capacidade de comunicar a nossa verdade interior.

Nativo do Sertão de Pernambuco, nasci em Serra Talhada. Meu pai herdou uma rígida formação do pai dele, e isso me fez conviver num ambiente de muito controle e autoritarismo. Quando meu pai chegava em casa, tudo deveria estar no seu devido lugar, de forma impecável. A minha mãe se movimentava no sentido de servi-lo e de nos orientar a agir conforme os pré-requisitos do meu pai. Era

---

[4] CAZZAROLI, Aline Raquel. Publicidade Infantil: o estímulo ao consumo excessivo de alimentos. Disponível em: <http://www.egov.ufsc.br/portal/conteudo/publicidade--infantil-o-est%C3%ADmulo-ao-consumo-excessivo-de-alimentos>.

um ambiente em que dificilmente expressávamos nossas emoções, com receio de sermos repreendidos. Lembro-me de quando criança ser repreendido por estar muito alegre em brincadeiras com minhas irmãs ou meus amigos. Meu pai costumava me repreender dizendo que aquela alegria terminaria em desentendimento, e que era melhor parar com aquelas brincadeiras.

Eu sou o caçula de uma família de quatro filhos. A minha mãe teve um aborto antes de mim, e meu pai relutava dizendo que não queria mais filhos. Minha mãe me confidenciava isso quando eu era criança e dizia que quando engravidou de mim havia dito ao meu pai que não aceitava mais críticas por ter engravidado novamente. Mais tarde compreendi que esse processo de rejeição, que eu havia passado ainda no útero, associado ao ambiente restritivo e autoritário de minha infância, havia contribuído para os meus problemas de garganta e problemas crônicos de saúde que se agravaram após a cirurgia.

Tive uma adolescência conturbada, pois, quando eu tinha 13 anos, minha mãe me revelou a vida infeliz que levava com meu pai, recheada de casos de traição desde que havia se casado. Esse era um comportamento habitual dos homens e socialmente aceito nos moldes de uma sociedade machista em que a mulher comumente assumia um papel submisso. Mesmo com toda avareza do meu pai, como eu era o caçula, cheguei a vê-lo numa fase melhor e, dos irmãos, eu era o único com mais acesso a ele, apesar de toda a rigidez. O desabafo da minha mãe me jogou contra meu pai, e a minha relação com ele piorou à medida que eu passava a assumir a posição de vítima, da minha mãe, e queria solucionar um problema que não era meu. Duro aprendizado.

Meus problemas de saúde só pioravam. Passei a ter vários problemas alérgicos e também asma. Naquele momento eu achava que a vida estava sendo dura comigo. Era comum me encontrar num estado de tristeza, amargura, raiva e ressentimento. Em 1975 me mudei para o Recife para estudar o secundário, atual Ensino Médio. Fui morar com minha irmã mais velha, que por conta do péssimo relacionamento com meu pai resolveu se casar e mudar, achando que assim seus problemas estariam resolvidos. O que aconteceu é que, na sua revolta com meu pai, atraiu um marido com os mesmos vícios e uma baixa autoestima brutal. Foi nesse ambiente conturbado em que vivi durante algum tempo até que decidi morar com amigos e continuar minha saga de duros aprendizados pela vida.

A força do perdão e da gratidão

Estou relatando esses fatos da minha vida pessoal para convidá-lo a refletir comigo sobre alguns aspectos que considero fundamentais no aprimoramento humano. O primeiro aspecto é que todos nós, seres humanos, passamos por desafios. Uns mais, outros menos, mas todos, sem exceção, passam por dificuldades, como doenças, acidentes, perdas, decepções, traumas etc. O segundo é que cada um de nós nasceu no ambiente perfeito para se desenvolver e evoluir, por mais estranho que isso possa parecer. Descobri, por experiência própria, que a vida não nos oferece fardos que não possamos carregar. Por outro lado, e aí está a maior sacada, os fardos aparentes são disfarces perfeitos que as oportunidades vestem para que possamos evoluir. Há uma sabedoria intrínseca na existência que sempre nos impulsiona para o alto. Não perceber as oportunidades e olhar apenas para os problemas é o que faz com que eles persistam. É como se repetíssemos periodicamente a mesma série e não evoluíssemos na escola da vida. É comum que a repetição se dê em escalas maiores, doenças mais graves, decepções inesperadas. A vida nunca desiste de nós, e é pela dor ou pelo amor que somos constantemente convidados a evoluir.

No meu caso, a descoberta, "por acaso", da homeopatia me fez abandonar os medicamentos químicos e buscar, dentro de mim, as respostas que sempre havia buscado fora. Abandonei a postura de vítima e passei a assumir a responsabilidade por tudo o que acontecia na minha vida. No entanto, foi o exercício do perdão aos meus pais, sobretudo ao meu pai, que promoveu uma reviravolta na minha vida. A reconciliação com o meu pai me tirou do papel de solucionador dos problemas da família e fez crescer em mim a clareza de que meus pais fizeram o melhor que puderam para me educar de acordo com o contexto em que eles também foram criados. Com isso, saí do campo da queixa e da reclamação e comecei a agradecer pelos pais e pela família que tive, compreendendo que todos os desafios, traumas, decepções, falta de reconhecimento e carências afetivas pelos quais havia passado era a vida me cutucando para que eu assumisse o meu lugar de honra, a responsabilidade pela minha vida e de viver com propósito, em conexão com minha missão.

Você está vivendo agora tudo o que precisa para evoluir. Que tal parar de olhar só para os problemas e passar a olhar para as oportunidades?

A vida não envia para você recados inúteis. Tudo o que você está vivendo agora faz parte do plano divino de orientar para que busque o caminho do seu coração. Conecte-se!

Essas frases refletem minha atitude depois de ter despertado para os recados que a vida insistentemente enviava para mim. Após o exercício de perdão e gratidão aos meus pais, passei a exercitar o perdão e a gratidão a todas as pessoas com quem já havia convivido, buscando olhar para as oportunidades de crescimento que todas as experiências haviam me proporcionado. Passei a exercitar também o autoperdão, o autocuidado, a generosidade. Não tardou e os efeitos colaterais positivos começaram a aparecer. Novas oportunidades começaram a surgir. Novos campos de prosperidade financeira começaram a florir à medida que, mental, emocional e espiritualmente, avançava na superação de crenças limitantes e me sentia mais próspero em todas as dimensões. Depois, descobri como tudo isso tem um profundo significado e embasamento no paradigma quântico. Compartilho essas minhas próprias experiências para convidá-lo para o campo da proatividade, para sair do campo da reatividade e lhe mostrar que é possível sair do campo da queixa, da reclamação e da vitimização e entrar no campo da gratidão, não importa o que tenha vivido!

Coloque a gratidão na sua pauta diária. Em vez de reclamar e se vitimizar com as pedras no caminho, experimente agradecer. Confie que o tamanho da pedra é proporcional a sua capacidade de erguê-la e de tirá-la do seu caminho ou transformá-la em uma bela oportunidade evolutiva. De uma forma ou de outra, as pedras no caminho são as bênçãos na sua vida. Agradeça à vida!

Você nasceu em um berço de ouro

Na perspectiva que tenho vivenciado com a saúde quântica, em que integro os conhecimentos da Física quântica e relativística aos conhecimentos da Neurociência e da Epigenética, todo ser humano tem o potencial inato de acessar infinitas possibilidades de manifestar uma realidade favorável a si próprio e à humanidade como um todo. Para isso é preciso uma mudança de foco. É preciso começar a olhar mais para dentro de si. É necessário observar que pensamentos disparam as crenças e os hábitos condicionados e perceber os resultados obtidos a partir dos referenciais de crenças e percepções dominantes.

A partir desse olhar, nascer em berço de ouro equivale a reconhecer os desafios e desenvolver a habilidade de transformá-los em oportunidades. Como todos temos desafios, todos já nascemos em berço de ouro. A questão é reconhecê-los e transformá-los. Nelson Mandela passou quase 30 anos prisioneiro do governo racista da África do Sul e, ao ser libertado, foi eleito presidente daquele país quatro anos depois, dando uma lição ao mundo ao convidar os nativos da África do Sul a perdoar os opressores brancos e, assim, se desapegar da amargura do passado e tocar a vida em frente, numa nova perspectiva em que a dominação de uma raça por outra não seja mais motivada e justificada pelo ódio. Ganhador do prêmio Nobel da Paz, Mandela é um exemplo de líder político que transformou um gigantesco desafio em oportunidade e contribuiu para melhorar o mundo com o seu exemplo.

Agindo assim, seja qual for a sua história de vida, as injustiças, a falta de reconhecimento ou seja lá o que tenha passado, lembre que é possível ressignificar a sua vida, perdoar, agradecer e contar uma nova história para si mesmo. Continue a se fazer a pergunta: "Quem eu sou?", sugerida no início deste capítulo. Observe se a sua resposta o associa a sistemas de crenças que o limitam e decida ir além.

Em 1968, dois psicólogos norte-americanos, pesquisadores respeitados de Harvard, Robert Rosenthal e Lenore Jacobson, realizaram um experimento histórico numa escola primária na Califórnia. Eles fizeram um teste de Q.I. e disseram que 20% dos alunos eram superdotados. O teste foi realizado no início do ano e, ao final do ano, os pesquisadores voltaram e fizeram um novo teste de Q.I. Então revelaram que os alunos sobre os quais haviam dito que eram superdotados, na verdade, não tinham tido um desempenho melhor que os demais alunos, no primeiro teste. Eles haviam sido escolhidos aleatoriamente. No entanto, no novo teste, o desempenho deles havia evoluído significativamente.

Supostamente, os alunos superdotados passaram a ter atenção especial dos professores e, assim, passaram a desfrutar de um ambiente enriquecido, assim como as expectativas sobre eles passaram a ser bem maiores. Com isso, ao ser realizado o segundo teste de Q.I. no final do ano, os pesquisadores identificaram um aumento significativo e, agora, o desempenho deles estava muito acima da média dos demais.

Esse experimento revela a importância do ambiente predominante referente às pessoas com quem mais convivemos. É importante também lembrar que aquele com quem mais passamos tempo somos nós mesmos, e, tomando o exemplo de Nelson Mandela, mesmo em condições muito adversas é possível se manter lúcido quando temos um propósito, quando acordamos todos os dias imbuídos da ideia de que é possível fazer melhor aquilo que já fazemos. Portanto, qualifique suas companhias e busque cercar-se de pessoas que vivam com propósito e depositam em você as melhores expectativas. E se isso ainda não é possível, faça de você a sua melhor companhia e se fortaleça interiormente mirando com vontade aonde quer chegar.

Estou convencido de que vivemos num mundo de dualidades e que a vida, por meio de nosso corpo, nos oferece o mais sofisticado e poderoso laboratório vivo para que possamos evoluir e nos aprimorar a partir de nossas próprias experiências e escolhas. No entanto, aprender a fazer melhores escolhas requer correr riscos, ter coragem de ousar e de buscar as respostas mais profundas dentro de si mesmo. Como tenho a oportunidade de interagir hoje com pessoas de várias culturas e de vários países, fica claro para mim a necessidade da autovalorização, de se elevar a autoestima, como algo essencial a qualquer ser humano. Qualquer pessoa que se coloque numa posição de inferioridade passa a se comportar como um animal acuado, com medo, que pode atacar a qualquer momento, pois é capaz de criar ameaças fictícias para justificar a necessidade de viver se defendendo do mundo.

O primeiro passo para superar o sentimento de inferioridade é parar de se comparar. Como cada pessoa tem uma personalidade única, a comparação é inútil. O que podemos fazer é aprender o que não sabemos com quem sabe mais que nós. Devemos exercitar o aplauso, o reconhecimento do talento alheio. Reconhecer o brilho do outro é nos autorizar a também brilhar, evoluir. Quando você se coloca numa posição de inferioridade, é comum sentir incômodo diante do sucesso, do brilho do outro. Isso porque a inveja funciona como um autoatestado de incompetência. Em sentido oposto, quando reconhecemos o mérito do outro nos abrimos a um novo aprendizado, comprometemo-nos a também querer fazer bem feito aquilo que fazemos.

A inveja gera bloqueios no campo da prosperidade, e é comum a dificuldade em alcançar sucesso financeiro. Quando desmerecemos ou falamos mal de uma pessoa que tem sucesso financeiro, tendemos a atribuir valores humanos negativos ao dinheiro. No entanto, o dinheiro, essencialmente, é apenas uma moeda de troca. Ao atribuir valores humanos negativos a ele, quando o dinheiro chegar às suas mãos você vai sentir os mesmos sentimentos que julgou antes. Isso fará com que procure uma forma de se livrar do dinheiro, para assim reafirmar o seu ponto de vista e continuar a falar mal de quem o tem.

Agindo assim, a prosperidade financeira nunca baterá na sua porta. Esse é um dos motivos que levam as pessoas a viver no modo sobrevivência, um estado de escassez e de defesa contínua. Elas vivem para trabalhar e pagar contas. Acostumam-se às queixas e às reclamações e têm a língua afiada para a crítica. O pessimismo assume papel de destaque, levando-as a viver sem propósito e convidando a depressão e a ansiedade a baterem na porta. Com o sistema imunológico fragilizado pela depressão, é comum que o corpo denuncie esse estado de amargura através de doenças como câncer, diabetes, fibromialgia, esclerose múltipla ou algum tipo de doença crônica ou autoimune. Então, o cerco da vida aperta por meio da dor, convidando a pessoa a evoluir, a sair do papel de vítima e ter uma nova atitude perante a vida.

Combater a si próprio é perda de tempo e energia, porque implica autojulgamento e autopunição. Investigue-se, experimente primeiro entender as distorções que identifica na sua trajetória. Então, decida construir um novo cenário interno. Faça isso agora, não procrastine. Acredite, decidir mudar internamente atrairá as melhores situações de cura para você. Reoriente-se!

Essa reflexão convida à autoaceitação e à autoinvestigação. De nada adianta ir ao médico em um estado de dor e sofrimento emocional, encher-se de medicamentos químicos e continuar a fazer o que sempre fez, sem mudar sua atitude perante a vida. As situações de cura, por meio das quais o corpo é capaz de acionar o seu gigantesco e incomparável arsenal de defesa, só poderão ser despertadas quando houver uma decisão de mudar e dar à vida uma nova orientação.

Essa situação de sofrimento emocional, devastadora do sistema imune, também é muito comum nas situações de perda, não aceitação da morte de entes queridos ou grandes decepções. A depressão e o câncer, além de outras doenças crônicas, são muito comuns nesses quadros. Eu vivenciei a dor da perda quando, em 2002, meu pai e minha mãe faleceram em um intervalo de dois meses um do outro. Vi minha base afetiva desaparecer num curto espaço de tempo. Foi muito doloroso.

Após a morte da minha mãe, dois meses depois do falecimento do meu pai, pedi afastamento temporário da empresa de educação de que era sócio e presidente e fui viver meu luto. Senti meu sistema imunológico desabar. Houve um dia em que tive uma crise alérgica e fiquei com a pele do rosto e parte do corpo manchadas. Minha filha mais velha, que estava comigo, ficou muito preocupada e insistiu em me levar ao médico. Eu me neguei a ir, pois estava consciente de que havia criado aquela situação em função do meu estado emocional de fragilidade e de que só eu mesmo seria capaz de mudar aquele estado. Aos poucos recuperei a minha lucidez, e o meu corpo, naturalmente, respondeu positivamente. Essa foi uma das situações mais duras que vivenciei e uma das mais ricas também, no sentido de perceber como nossas emoções podem nos levar facilmente do inferno ao céu, da doença e do sofrimento à saúde e à consciência.

É dessa forma que tenho levado a minha vida, buscando sempre aprender e evoluir com os desafios. No decorrer deste livro relatarei novas experiências para contribuir com o seu empoderamento pessoal e para ajudá-lo a desenvolver uma atitude proativa perante a vida. Se você está lendo este livro, considere-se meu convidado de honra no caminho da transformação.

Observe cada desafio que teve na vida e sinta quanto evoluiu e aprendeu com eles. Se os mesmos desafios continuam a se repetir é porque, interiormente, o aprendizado ainda não foi suficiente. Invista em sua transformação. Aplique-se!

Hoje estou convencido de que o crescimento das doenças crônicas e autoimunes no Brasil e no mundo tem a ver com uma cultura de manutenção das doenças por meio de um modelo biomédico focado em atenuar e remediar sintomas em vez de olhar para as causas. Esse modelo biomédico ainda dominante tem como único recurso medicamentos químicos que deterioram ainda mais a saúde através de efeitos colaterais tóxicos. Ele não estimula as pessoas a usar a doença como um aprendizado evolutivo que as motive a ter um estilo de vida em que se previnam naturalmente e promovam a saúde nas ações do cotidiano. Por isso, neste livro, quero ajudá-lo a sair dessa caixa. Desse modo, finalizo este capítulo com dicas práticas de alimentos e atitudes que o ajudarão a se prevenir da depressão, de doenças cardiovasculares, do mal de Alzheimer e de doenças crônicas em geral.

Dicas práticas

Todos os alimentos ricos em triptofano ajudam a aumentar os níveis de serotonina no sangue. O triptofano é um aminoácido, e a serotonina, um hormônio produzido no cérebro e no intestino que ativa a sensação de bem-estar, prazer, felicidade e equilíbrio emocional. Sabe-se hoje que 95% da serotonina do nosso corpo é produzida no nosso intestino. Por isso o cuidado com a qualidade dos alimentos que ingerimos vai afetar diretamente o nosso bem-estar e a nossa saúde emocional.

Banana, abacate, biomassa de banana verde, tomate, nozes, amêndoas, espinafre, grão-de-bico são muito ricos em triptofano e seu consumo regular pode aumentar os níveis de serotonina no sangue.

Os alimentos ricos em ômega 3, como sardinhas, azeite de oliva extravirgem, óleo de linhaça e óleo de coco extravirgem, também são antidepressivos naturais. Além disso, temos também os alimentos ricos em magnésio, como a quinoa, cacau 100% orgânico, sementes ou farinha de abóbora, bem como as vitaminas do complexo B e vitamina C.

Atividades físicas associadas a banho de Sol, banho de mar ou cachoeiras e contato com a natureza, de modo geral, são também poderosos antidepressivos. Na falta de Sol, é possível fazer suplementação com vitamina D3 e se prevenir de mais de cem tipos de doenças crônicas. Hoje, 9 de cada 10 pessoas possuem deficiência de vitamina D3. As empresas de protetor solar e óculos de sol vêm estimulando o medo da exposição ao Sol e por isso as pessoas estão se distanciando de uma das maiores fontes de vida e saúde de nosso planeta. Reconcilie-se com o Sol se quer ter uma vida saudável.

Também é fundamental desenvolver uma atitude proativa e otimista perante a vida, saindo da lamentação e da vitimização. As pessoas otimistas também se recuperam mais rápido de cirurgias e problemas cardiovasculares, e têm uma sobrevida maior. No livro *As 8 Leis Espirituais da Saúde* (Sextante, 2017), os autores Tommy Rosa e Stephen Sinatra apresentam uma pesquisa feita em Harvard que mostra que otimismo e a alegria podem diminuir o risco de AVCs e ataques cardíacos. Com base na análise de mais de 200 casos anteriores, os pesquisadores descobriram que as pessoas com atitudes mais otimistas apresentaram 50% menos chances de apresentar problemas cardíacos. Portanto, sugiro começar de imediato a ver oportunidades onde antes só via problemas para levar a vida de forma otimista e assim viver mais e melhor.

Para se prevenir do mal de Alzheimer, é fundamental sair da rotina, ler, exercitar o cérebro, exercitar o perdão e a humildade. Além dos alimentos e suplementos que indicamos para depressão, você também pode acrescentar uma colherinha de canela em pó orgânica por dia. Ela funciona como um antídoto para se prevenir do Alzheimer.

Na minha rotina, eu tomo muitos chás; o chá verde é um dos meus preferidos, pelo alto nível de antioxidantes. No entanto, pela manhã, além de tomar meio litro de suco vivo diariamente em jejum, também tomo uma xícara de café orgânico sem açúcar com uma colher de óleo de coco extravirgem, uma colherinha de cacau orgânico 100% e uma colherinha de canela em pó orgânica. Este é o que eu chamo de café quântico, com inúmeras propriedades medicinais e preventivas de diversas enfermidades. Se você não estiver habituado a tomar sem açúcar, recomendo que use uma colherinha de açúcar mascavo, açúcar de coco ou xilitol, que é um tipo de açúcar que faz bem à saúde.

Jamais use açúcar branco, pois é uma caloria vazia viciante e precursora de muitas doenças crônicas. A cúrcuma também é usada na medicina tradicional chinesa como um poderoso antidepressivo. Além disso tem uma comprovada ação anticâncer. Quando aliada à pimenta-do-reino ou a pimenta-de-caiena, pode aumentar em até 2000 vezes o seu potencial anticâncer. Além disso, é um poderoso antioxidante e atua nos processos inflamatórios das articulações como artrite e artrose. É um excelente cicatrizante e também previne o Mal de Alzheimer. Conhecida também como açafrão da terra, é o ingrediente principal do tempero indiano curry, que contribui para os baixos índices de câncer na Índia.

Que arquivos do seu cérebro você gostaria de visitar diariamente? São esses arquivos abertos com mais frequência que governam a sua vida. Se você não está satisfeito com sua vida atual, é chegada a hora de parar de abrir esses arquivos e tratar de criar novos, com foco naquilo que quer. Dê uma chance para que uma nova vida se manifeste dentro de você. Reinvente-se!

Perguntas para ativar seu propósito de vida

1. Quem eu sou hoje?
2. O que eu quero aprender hoje?
3. O que eu preciso desaprender?
4. Que hábitos eu quero superar?
5. Que novos hábitos eu quero ter?
6. Que novas crenças e percepções eu quero cultivar?

Afirmações para treinar o cérebro e o corpo emocionalmente para manifestar uma nova realidade:

1. Eu já nasci com tudo o que preciso para ser feliz e realizar meu propósito de vida.
2. Nasci na família certa, no lugar certo, no momento certo e nas melhores condições para prosperar e evoluir.
3. Hoje eu estou convencido de que o Universo é meu amigo e de que tudo o que acontece comigo são oportunidades para ser uma pessoa cada vez melhor e mais feliz.
4. Eu agradeço todos os dias pela pessoa que eu sou e pelas oportunidades que a vida me oferece de expressar a minha verdadeira essência.

Lembre-se de que o cérebro não diferencia o que você de fato vivencia e o que imagina. Por isso, ao fazer as afirmações, imagine o tipo de vida extraordinária que gostaria de ter e renda-se a essa possibilidade.

Vamos em frente!

Capítulo 3

ESTAMOS DESTINADOS A SER CANSADOS E DOENTES?

> *Decida sair do controle do mundo exterior. Apenas foque em você. Libere o medo, libere os vícios, observe cada inimigo interno com atenção. Escolha um novo caminho. Deixe claro aonde quer de fato chegar. Dê adeus a tudo que o impede de evoluir. Invista todas as cartas em você e se permita ser guiado por um firme e belo propósito de ser feliz!*
>
> WALLACE LIMA

Imagine como seria sua vida hoje se tivesse sido educado numa escola que discutisse abertamente a felicidade, que ensinasse como gerenciar as emoções e sobre como nosso corpo e nossa saúde são afetados por pensamentos autodestrutivos, reclamações, julgamentos, preconceitos, autodesvalorização, arrogância, prepotência, complexos de inferioridade e baixa autoestima.

Infelizmente, nossos professores não tiveram essa formação, nem nossos pais, nem nossos avós, nem as gerações anteriores. São muito recentes os estudos sobre a ciência da felicidade. Vivemos numa sociedade em que o analfabetismo emocional é predominante, o que leva as pessoas a uma vida em que o sofrimento é perene. É muito comum que os comportamentos e as escolhas sejam feitos a partir de memórias impressas no subconsciente de experiências negativas vividas no passado.

Pare um pouco e pense comigo: quantos pensamentos inúteis você acha que tem por dia? Quantos pensamentos você tem que roubam sua energia e vitalidade e fazem com que muitas vezes se sinta inseguro diante de uma situação futura, com receio de que uma experiência negativa do passado se repita? Quantas vezes se sentiu praticamente engolido por pensamentos negativos recorrentes que o atormentaram e roubaram sua paz interior? Quantas vezes fez previsões antecipadas sobre o futuro, as quais aconteceram de maneira completamente diferente daquela que previu? Quantas vezes se contaminou emocionalmente antes de tratar de um assunto com alguém por já julgar a forma como a pessoa iria reagir? Quantos pensamentos já teve hoje que são exatamente iguais aos que já teve ontem e que geram em você as mesmas expectativas e resultados? Quantas vezes teve a sensação de andar em círculos, pois as mesmas circunstâncias se repetem em sua vida, mesmo com pessoas diferentes?

Um de meus sonhos é de que no futuro as escolas e todos os cursos universitários tenham disciplinas voltadas para o aprimoramento humano, para o reconhecimento do papel dos pensamentos e das emoções em nossa vida. Desejo que todas as pessoas possam aprender como cada célula de nosso corpo reflete a realidade do que pensamos e sentimos; como a nossa saúde, o nosso bem-estar e a nossa qualidade de vida dependem diretamente do nosso mundo interior; e como o que vivemos num mundo exterior é reflexo de tudo o que somos. Tenho a sensação de que a humanidade ainda está na idade da pedra no que diz respeito à educação emocional e à relação que existe entre crenças e percepções e a realidade pessoal que cada pessoa vivencia.

Você vive no passado, no presente ou no futuro?

Vou lhe fazer um convite, agora, à reflexão: você se considera senhor de suas emoções e seus pensamentos ou um mero refém deles? Guarde sua resposta, pois ela será importante no decorrer deste capítulo. São três os estados temporais de nossa mente: passado, presente ou futuro. E a sua resposta a essa pergunta o ajudará a entender em qual deles você está.

Todas as experiências que vivemos, desde quando estávamos no útero de nossa mãe até agora, estão arquivadas nas entranhas de nosso cérebro, em sequências de células nervosas que armazenam as informações nas chamadas redes neurais. As nossas atitudes refletem uma forma de pensar e sentir. Atitudes que se repetem estruturam crenças. Quando repetimos cotidianamente um comportamento, em função do que acreditamos, estruturamos nossas percepções e hábitos.

Tudo o que você se habitua a fazer inicia com um pensamento automático e desencandeia um processo rotineiro de agir. O gatilho que dispara o hábito é também chamado de "deixa", e é esse gatilho que desencadeia a ação em piloto automático, pois o cérebro armazena toda a sequência do hábito para gastar energia e tempo com a tomada de decisão a todo momento. Assim, ele armazena o caminho e cria esses atalhos. Acredita-se que pelo menos 40% de nossas decisões diárias sejam tomadas por meio de hábitos condicionados. Ou seja, nós não decidimos de fato: o cérebro condicionado é quem decide por nós.

A questão principal é: quando o hábito é um mau hábito, estruturado por crenças limitantes e experiências negativas do passado, da família, da cultura ou da religião, ele se perpetua e compromete sua saúde, sua qualidade de vida, seus relacionamentos afetivos e profissionais, sua prosperidade financeira e a prosperidade nas demais áreas de sua vida. Os estudos da Neurociência mostram com clareza que a programação que construímos para nós mesmos, até o momento, pode ser reforçada a cada vez que pensamos, sentimos e agimos de acordo com o velho programa, o velho jeito de agir. Assim como também pode ser enfraquecida quando decidimos criar uma nova programação e diminuir o acesso à velha rotina. Isso é possível em função da Neurogênese, que é a criação de novos neurônios no cérebro, e da Neuroplasticidade Cerebral, que é a capacidade de nosso cérebro de se remodelar a partir de novos estímulos e de novos hábitos que podemos criar, deliberadamente, para qualificar nossa vida.

Se a sua vida hoje é uma repetição de hábitos condicionados, você vive predominantemente no passado. Se esses hábitos são bons e trazem bons resultados, busque aperfeiçoá-los mais ainda. A busca pelo aprimoramento traz mais estímulo e motivação aos nossos dias. No entanto, se esses hábitos são maus e estão comprometendo sua saúde e sua alegria de viver, decida agora contar uma nova história para você mesmo para que possa, no futuro, ser sua melhor versão. Você precisa saber que essa decisão é só sua. Nem eu nem ninguém pode fazer isso por você. A única pessoa capaz de impedir a sua transformação e evolução é você mesmo, ninguém mais. O nível de resistência interna que você pode oferecer a essa transformação vai depender do seu estado de inércia atual. Quanto maior o seu apego ao estado atual, maior será a resistência. Quanto maior a zona de conforto que estabeleceu para você, maior será a sua acomodação.

O seu estado de inércia é proporcional a quanto você pensa hoje dentro da caixa. Pensar dentro da caixa é uma expressão que revela o nível de neurorigidez cerebral de alguém, ou seja, mostra quanto a pessoa está viciada em ativar sempre as mesmas redes neurais que condicionam suas escolhas, suas ações e seus resultados. É o oposto de pensar fora da caixa, ou seja, exercitar a neuroplasticidade para criar novos caminhos que qualifiquem sua existência. Quanto mais agimos de acordo com os programas habituais, mais reforçamos a neurorigidez. No entanto, não há estado de inércia que não possa ser superado por uma grande motivação.

Na vida, as motivações são diárias. A questão principal é o discernimento para percebê-las, pois elas costumam se disfarçar de desafios. Só há dois caminhos possíveis para nossa jornada evolutiva: o caminho do amor ou o caminho da dor. Quando não percebemos o caminho do amor, a vida não desiste de nós e aperta o cerco por meio do caminho da dor. Ela nos sinaliza, às vezes, com uma doença, um acidente, uma perda, uma decepção etc. No entanto, é certo que a vida só lhe oferece os desafios que você é capaz de superar. Cada desafio está associado ao nível de sua escolaridade evolutiva. À medida que somos aprovados e aumentamos de nível, a tendência é de que os desafios fiquem mais sofisticados e as tarefas mais difíceis. Se seus desafios são sempre os mesmos, e você tem a sensação de andar em círculos, é porque está se recuperando e a vida está lhe oferecendo os mesmos desafios periodicamente até que evolua e passe para o próximo nível. Se os desafios estão ficando mais complexos e sofisticados, agradeça. É sinal de que está evoluindo e a existência está lhe proporcionando novas oportunidades, num nível mais alto, para que evolua mais ainda e possa desfrutar de novos aprendizados.

Reconheça com atenção os eventos significativos de sua vida. Reconheça os padrões que se repetem e faça associações com os seus pensamentos que igualmente se repetem no seu cotidiano. Assim, você terá uma pista clara de como está criando a sua realidade. Treine mudar a rotina dos seus pensamentos e sinta o milagre da vida brotar diante de você. Recrie-se!

A depressão é uma doença típica de quem vive com a cabeça no passado, revivendo problemas, ressentimentos, culpando-se de alguma situação, autopunindo-se, enfim, trazendo o passado para o presente e, por isso, repetindo as experiências assim como aconteceram no passado.

Já o transtorno de ansiedade é uma doença de quem vive com a cabeça no futuro. É típico de quem quer ter o controle sobre o que ainda vai acontecer e por isso se ocupa mentalmente, de forma antecipada, diante da expectativa do futuro. A palavra preocupação (PRE-OCUPAÇÃO) expressa bem o comportamento clássico da pessoa ansiosa, que não se abre ao inusitado, que não se deixa surpreender pelo novo. Ela está sempre se ocupando previamente, investindo energia com a intenção de controlar a forma como as coisas devem acontecer, de acordo com sua expectativa e ao seu bel-prazer. O conteúdo emocional predominante de uma pessoa ansiosa é o medo, a insegurança, o sentimento de escassez e de carência.

Quanticamente falando, a pessoa no estado de ansiedade transforma o seu corpo numa antena eletromagnética emissora de sinais de carência, medo, escassez e insegurança. É desse modo que a pessoa passa a ser uma atratora de tudo aquilo que não quer que aconteça em sua vida. São as vibrações de nossos pensamentos e sentimentos predominantes, ou seja, o que somos essencialmente, que atraem para nossa vida as circunstâncias de que precisamos para evoluir. E somos aquilo que sentimos visceralmente, e não o que pensamos ou dizemos que somos. Daí a necessidade de qualificar a nossa matriz energética e vibracional de modo que nossos pensamentos possam estar alinhados com o que sentimos.

O que a Física moderna traz com muita clareza, através da Física quântica e relativística, é que vivemos num Universo em que tudo é energia e se expressa vibracionalmente em frequências específicas, tal qual uma corda de violão. Um reconhecido gênio da humanidade, Nikola Tesla, costumava dizer: "Se queres encontrar os segredos do Universo, pense em termos de energia, frequência e vibração". No entanto, a rígida formação materialista que predominou na ciência nos últimos 400 anos fez com que a humanidade gravitasse em torno da ponta do iceberg da existência, ao focar todos os seus esforços em entender a matéria e o que se manifesta no mundo material.

O que a Física quântica está trazendo com forte embasamento científico, que culminou com o prêmio Nobel a todos os cientistas que desenvolveram a teoria quântica, é que vivemos num Universo com infinitas possibilidades latentes de uma realidade se manifestar no mundo material. É a nossa vontade, aliada a uma firme intenção e a um sentimento, que faz com que nos conectemos a esse campo de potencialidades, por meio de nossa vibração predominante, e manifestemos nossa realidade pessoal. Einstein certa vez disse: "Há uma força motriz mais poderosa que o vapor, a eletricidade e a energia atômica: a vontade".

O conhecimento que compartilho neste livro tem o objetivo de despertar em você a motivação necessária para que sua vontade de se transformar, autocurar-se e evoluir seja infinita ao ponto de se sentir capaz de criar uma nova vida com base em suas novas escolhas, que estão sendo germinadas em sua jornada com este livro.

Gosto muito de uma frase do Dalai Lama que tem a ver com as reflexões que fiz sobre viver com a cabeça no passado ou no futuro: "Nunca estrague o seu presente por um passado que não tem futuro".

No capítulo 1 abordei um pouco da história da Dani Rolim, que se sensibilizou com uma frase em que eu falava sobre o poder de viver no presente. E há um caminho poderoso para se manter no presente. Há mais de 17 anos descobri as práticas meditativas num momento em que passava por inúmeros desafios evolutivos e vivia com a ansiedade em alta. Foi um chamado da alma. Na minha inquietação e na busca por novos conhecimentos que aplacassem a minha angústia existencial, procurei a meditação com o intuito de serenar minha mente e fortalecer minha missão de vida, com clareza, equilíbrio, confiança e tranquilidade para seguir o caminho necessário. Hoje estou convencido de que a meditação é uma das tecnologias mais avançadas, mais simples e eficazes de que dispomos, e vários estudos científicos mostram a eficácia dessa prática nos mais diversos campos da vida, inclusive na cura de doenças. A meditação possibilita ao ser humano acessar seus inescrutáveis tesouros internos e trazer significado a sua existência porque simplesmente nos coloca no palco do aqui e agora, que é onde tudo acontece e onde tudo se cria e pode se transformar.

Em 2012, estive na Índia pela segunda vez para fazer um curso intensivo de Medicina Ayurvédica. O curso aconteceu em uma escola de uma cidade próxima de Nova Deli, a capital da Índia. Chamou-me a atenção que todas as manhãs as crianças, antes de entrarem na sala de aula, reuniam-se com os professores para recitar mantras e meditar.

Em 2010, estive pela primeira vez em Dharamsala, na Índia, cidade onde mora o Dalai Lama, e fiz um curso intensivo de Psicologia Transpessoal numa abordagem budista. Conheci de perto a cultura tibetana e fiquei impressionado como a prática da meditação se tornou uma das principais ferramentas da medicina tibetana, que também faz uso de ervas medicinais, acupuntura e mudança de estilo de vida. É dessa maneira que eles curam todas as doenças sem qualquer medicamento químico. O diagnóstico é feito pela leitura do pulso e pela observação da língua. O nível de precisão do diagnóstico choca.

Fiquei tão impressionado, que depois visitei minha sobrinha Tamara Lopes em Bangalore, outra cidade indiana, e resolvi fazer um curso básico de leitura do pulso para compreender melhor os princípios dessa ciência milenar.

No curso, ficou ainda mais claro para mim a importância do estado de presença, potencializado pela prática meditativa. A leitura do pulso requer que a mente de quem faz a leitura esteja tranquila, serena e presente para poder rastrear, nos mínimos detalhes, tudo o que se manifesta em cada órgão e no corpo por inteiro.

O segundo módulo do curso só poderia ser feito seis meses depois. Durante esse período o pré-requisito era a prática diária da meditação, para fortalecer a intuição e ancorar ainda mais o estado de presença. Como não voltei mais à Índia, não dei continuidade ao curso. No entanto, ficou claro para mim por que a Medicina Ayurvédica indiana, que é o mais antigo sistema médico do mundo, e a medicina tibetana, que não utiliza nenhum medicamento químico, são capazes de curar qualquer doença. Todo o foco do tratamento é voltado para mapear as causas das enfermidades e corrigir os maus hábitos e o estilo de vida que as desencadeiam. A meditação entra na equação, promovendo o estado de coerência cardíaca e melhorando o humor, a energia, a disposição e fortalecendo o sistema imunológico.

O estado de coerência cardíaca promovido pela meditação faz com que o coração envie sinais para o cérebro, afetando as áreas envolvidas com a consciência social e situacional, a capacidade de cuidar, o discernimento intuitivo e a habilidade de se autogerenciar, de acordo com as pesquisas científicas realizadas pelo Instituto HeartMath, com sede na Califórnia, Estados Unidos.

Esse instituto é hoje um dos maiores centros de pesquisas sobre o tema, com trabalhos que atestam a inteligência do coração e sua capacidade de coordenar o corpo inteiramente e de sincronizar seus sistemas como um todo. O estado de presença promovido pela meditação potencializa essa inteligência do coração e mostra que esse órgão vital é muito mais do que uma bomba mecânica que possibilita a nutrição de todo o corpo por meio da circulação sanguínea.

O estado de coerência cardíaca também afeta as áreas do cérebro associadas à percepção e ao gerenciamento das emoções, assim como influencia a habilidade de pensar com clareza e encontrar soluções mais eficientes para os problemas. Contribui para manter a calma e o equilíbrio diante dos desafios, melhora a harmonia social e familiar, incrementa a capacidade de aprendizado e a performance física e intelectual. Nesse estado, o corpo se regenera mais rápido e reduz a fadiga, o estresse e a exaustão. Além disso, nele abrimos as portas da intuição, contribuindo para que tomemos melhores decisões durante o dia.

Em 2015, participei de uma imersão com Gregg Braden, no novo México, com o tema *Da célula à alma*, em que ele apresentou a meditação da coerência cardíaca. Lá comprei livros e tecnologias que o instituto desenvolveu, com o fim de monitorar o estado de coerência cardíaca. Em dezembro de 2016, tive o prazer de passar cinco dias na Riviera Maya, também no México, numa imersão de meditação da coerência cardíaca com três dos principais pesquisadores do Instituto HeartMath. Foi uma experiência muito rica e profunda. Há anos eu já estudava e praticava essa técnica simples, mas muito poderosa e eficaz. Esse encontro na Riviera Maya possibilitou o convite a Deborah Rozman, atual CEO do Instituto HeartMath, para ser uma das palestrantes do V Simpósio Internacional de Saúde Quântica e Qualidade de Vida, em outubro de 2017, no Recife.

E os profissionais do HeartMath não são os únicos a se dedicar a pesquisas sobre o tema. O aporte da ciência sobre os benefícios da meditação vêm validando essa prática milenar como uma ferramenta eficaz para prevenção e superação de inúmeras enfermidades. No Brasil, sob a coordenação do doutor Fernando Bignardi, pesquisas na Universidade Federal de São Paulo (Unifesp), com mais de 1.600 idosos da periferia de São Paulo, tiveram resultados notáveis e chegaram a ser destaque em matéria do *Globo Repórter*.[5]

---

[5] Especialista ensina técnica de meditação para aliviar dores nas costas. Globo repórter. Disponível em: http://g1.globo.com/globo-reporter/videos/t/edicoes/v/especialista-ensina-tecnica-de-meditacao-para-aliviar-dores-nas-costas/2382110/. Acesso em: 25 ago. 2017.

Na Universidade de Brasília (UNB), o doutor Carlos Eduardo Tosta e seu aluno de mestrado, Juarez Castellar, também tiveram destaque no *Globo Repórter*[6] pelos resultados na superação de doenças crônicas de pacientes a partir de práticas meditativas. Na Universidade de São Paulo (USP), o doutor Rubens de Aguiar Maciel também desenvolve pesquisas de práticas meditativas com resultados extraordinários. Eu conheci de perto o alcance do trabalho desses pesquisadores, pois tive a oportunidade de entrevistá-los no I Congresso On-line de Doenças Crônicas e Curas Naturais, que organizei em 2014 e contou com mais de 210 mil visualizações em 51 países em uma semana.

O Instituto do Cérebro do Hospital Albert Einstein, em São Paulo, vem realizando pesquisas também nessa área e conta com diversos trabalhos publicados em revistas internacionais, tendo inclusive feito um trabalho em parceria com a Natura e a Associação Palas Athena com 70 mulheres que ocupam cargos de gerência.[7] A pesquisa se deu num período de oito semanas, com encontros de uma hora e meia. Nesse período, os sintomas do estresse foram reduzidos em 35,3% em comparação com o mês anterior. Houve também reduções significativas de sintomas psiquiátricos e emoções negativas, como tristeza, preocupação, medo e irritação.

Os pesquisadores do Instituto HeartMath estão sendo convidados para aplicar a metodologia da meditação da coerência cardíaca em grandes corporações, como Apple, Microsoft, American Express e muitas outras, com intuito de reduzir o estresse e elevar a produtividade, a saúde e a qualidade de vida dos funcionários. A meditação também foi aprovada como uma das práticas integrativas reconhecidas pelo Sistema Único de Saúde (SUS), aqui no Brasil. Portanto, se você quer investir em algo como o potencial de qualificar sua vida em todos os níveis e colocá-lo no presente, recomendo que invista na meditação, pois os

[6] Meditação reduz a ansiedade e o estresse e auxilia na cura de doenças. Globo repórter. Disponível em: http://g1.globo.com/globo-reporter/noticia/2010/10/meditacao-reduz-ansiedade-e-o-estresse-e-auxilia-na-cura-de-doencas.html. Acesso em: 25 ago. 2017.

[7] Pesquisa científica da Natura e do Hospital A. Einstein ressalta os benefícios da meditação. *Sociedade Beneficente Israelita Brasileira*. Disponível em: <https://www.einstein.br/noticias/noticia/pesquisa-cientifica-ressalta-beneficios-da-meditacao>.

resultados rapidamente aparecerão. No final deste capítulo ensinarei para você uma prática de meditação, inspirada no Instituto HeartMath.

Autoconsciência ou comportamento de boiada?

> *Não é fácil enxergar o seu reflexo em águas turvas. E, com a mente turva, também não conseguimos ver com clareza. Acalme a mente, sustente amorosamente a paciência que o eleva à frequência quântica, para que encontre múltiplas soluções para os desafios do cotidiano. Serenize-se!*

Essa reflexão é um convite para observar seus comportamentos a partir dos estados de sua mente. Com a mente nublada, muitas vezes tendemos a reproduzir o caminho que a maioria segue, sem que tenhamos consciência de que este é o melhor caminho. Somos influenciados pela pressão social, especialmente pelos círculos em que mais convivemos, começando pela família. A necessidade de ser aceito e de se sentir parte, aliada ao medo da rejeição, faz com que muitas pessoas apenas sigam a maioria, sem exercitar a própria autenticidade e individualidade.

Esse é o que costumo chamar de comportamento de boiada. Esse comportamento é muitas vezes motivado pelo que o psiquiatra Carl G. Jung chamou de inconsciente coletivo, que estimula nas pessoas comportamentos determinados pelo subconsciente. A adesão em massa da sociedade alemã ao projeto nazista de Hitler é um exemplo clássico de comportamento de boiada. O orgulho ferido dos alemães em decorrência da derrota na Primeira Guerra Mundial e os problemas sociais que enfrentaram então formaram um terreno fértil para o aparecimento de um líder como Hitler, determinado a impor a superioridade da raça ariana. Com a capacidade incomum de oratória e liderança, Hitler conseguiu convencer a sociedade e o exército alemão de uma das jornadas mais sanguinárias e violentas da história.

Os paradigmas comumente se propagam pela massificação de um modelo de compreensão da realidade, por influência de pessoas com autoridade, pelo conhecimento científico da época, por apoio político e econômico e por uma comunicação eficaz. A história da humanidade está recheada de episódios que mostram que, quando o ser humano não desenvolve um estado de autoconsciência, é capaz de ser manipulado a acreditar e consumir qualquer coisa, mesmo que o leve à morte ou o faça sofrer. Por isso, ainda hoje, muitas pessoas vivem uma vida miserável, dependendo de medicamentos químicos que não tratam a causa das doenças, consumindo agrotóxicos e produtos industrializados com inúmeras toxinas que deterioram sua saúde cotidianamente.

Ter consciência daquilo que não lhe faz bem, seja um mau hábito alimentar, um complexo de inferioridade ou procrastinar decisões importantes, é diferente de, mesmo ciente, continuar se comportando do mesmo jeito e depois se culpar por agir assim.

O processo de condicionamento que leva ao comportamento de boiada cria uma massa desempoderada, incapaz de tomar uma nova atitude perante a vida e de criar uma nova realidade em que possa fazer melhores escolhas e obter melhores resultados. A verdade é que há um programa com comportamentos automáticos rodando em seu cérebro e que acessa sempre os mesmos arquivos de memória e desencadeia a mesma química responsável por ativar, no interior das células, a mesma expressão genética. É essa programação repetitiva que leva o corpo a um ciclo viciante.

A máquina de produzir proteínas

É no núcleo das células que estão nossos genes, cuja função é produzir as proteínas. Essas proteínas são como "microtijolos" que constituem toda a matéria-prima da qual nosso corpo é feito: um fio de cabelo, nossa pele, nossos órgãos e nossos ossos. E é a qualidade de seus pensamentos e sentimentos dominantes, aliada ao seu estilo de vida, que vai determinar, em última instância, a forma como seus genes se expressam, produzindo proteínas doentes ou saudáveis em função de suas escolhas.

Sem dúvida, nosso corpo pode ser considerado uma máquina de produzir proteínas. São mais de 120 mil tipos de proteínas que podemos produzir. No entanto, o projeto genoma comprovou que possuímos pouco mais de 23 mil genes, que é o local onde as proteínas são produzidas, no núcleo das células. O fato é que cada gene pode produzir até mais de 2 mil tipos de proteínas. Apesar de acharmos que são os genes, ou seja, o DNA, que determinam quem somos, na verdade eles equivalem a um manual de instruções com as informações específicas para produzir determinado tipo de proteína. O DNA é uma grande biblioteca que contém toda a história evolutiva da humanidade, a qual é passada através das gerações. Os genes equivalem aos livros em que todas as informações foram registradas. No entanto, as informações manifestadas dependem do livro e da página que será lida.

O mais importante é entender que você é o único responsável pela escolha desse livro, do assunto que vai querer vivenciar, investigar, e de qual capítulo prefere. Isso acontece porque o comando para ler um livro específico só pode ser dado por meio do ambiente criado em torno das células. Esse ambiente nada mais é do que os nutrientes associados à sua alimentação e às moléculas associadas aos sentimentos que foram desencadeados pelos seus pensamentos dominantes. Ou seja, ele é uma escolha sua. Na membrana celular existem receptores específicos que, ao serem acionados pelas informações contidas nesse ambiente, levam essas informações para o interior das células e desencadeiam o processo que vai culminar com a escolha do livro que você vai ler. Ou seja, vai culminar com o tipo de proteína que você vai produzir e que pode estar associada à manifestação de uma vida saudável ou doente.

Agora que você já sabe que é uma máquina de produzir proteínas e que a qualidade das proteínas fabricadas depende exclusivamente de você, isso o torna 100% responsável pela sua saúde e pela vida que leva. Eu o convido, portanto, a superar o condicionamento subconsciente ou o estado de consciência passiva e se tornar o artesão ou artesã do seu próprio destino, despertando para o estado de autoconsciência.

Nesse estado, passamos a ser observadores atentos daquilo que pensamos e sentimos, das nossas crenças dominantes e percepções, e nos colocamos em campo para jogar o jogo da vida e vencer, não para sermos eternos perdedores, desconsolados, revoltados e doentes. Para

entrar nesse estado, o primeiro passo é observar os padrões mentais que o levam a comportamentos e ações com resultados negativos. Depois, procure observar com atenção a sua linhagem familiar. Que padrões de crenças se repetem por gerações e condicionam estilos de vida que não são saudáveis? Que doenças se repetem na linhagem familiar? Que problemas emocionais são constantes? Em seguida, estenda essas perguntas para o seu ciclo de amizades e para o seu ambiente profissional: que tipos de pessoas você tem atraído no plano afetivo, profissional e de amizades? Você possui alguma enfermidade que é comum na família?

A resposta a essas perguntas lhe dará uma pista clara do seu estado, revelando se você está no piloto automático, reproduzindo as mesmas crenças limitantes familiares e do meio em que vive. Com sua resposta, você está agora diante de duas possibilidades: a primeira é se dar por vencido e repousar na zona de conforto, sem querer abrir mão do estilo de vida que leva hoje, e esperar que a dor aumente para tomar alguma decisão no futuro, quem sabe. A segunda é começar a agradecer agora por estar diante de uma oportunidade de ressignificar sua vida e colocar a mão na massa mobilizando a vontade de viver com propósito e autoconsciência. Ou seja, deixar de ser apenas um número a mais na boiada para fazer a diferença no mundo, criando um novo roteiro para a sua vida!

É hora de morrer para o velho que não mais preenche a sua alma. É hora de despertar para um mundo novo e renascer, dando adeus ao velho e a tantas bagagens inúteis que você está carregando agora. Morra para o velho que o aprisiona e ressuscite para o novo que o liberta. Treine fazer isso todos os dias. Ressuscite-se!

Vivemos em uma cultura de desempoderamento em massa, na qual as pessoas são treinadas para se distanciarem do seu verdadeiro potencial. O referencial de uma pessoa de sucesso é muito limitado e é associado quase exclusivamente ao nível financeiro, profissional. No referencial quântico que trabalhamos, o sucesso financeiro e profissional, apesar de também ser importante, deve estar associado ao sucesso da conquista sobre si mesmo, de transformar os desafios internos e externos em oportunidades para viver a vida com propósito, influenciando pessoas a fazerem ainda melhor do que o que estamos fazendo.

Com 100 bilhões de células nervosas no cérebro e a capacidade de criar novas conexões a partir de cada nova experiência, o nosso potencial criativo é infinito. O número de neurônios no cérebro equivale ao número de estrelas na nossa galáxia, a Via Láctea. Considerando que cada neurônio pode se conectar a até 10 mil neurônios ao mesmo tempo, o nosso cérebro pode realizar até 100 trilhões de conexões através das sinapses, que são a forma como o cérebro se comunica com o corpo para agir e criar. As sinapses são disparos elétricos nos terminais das células nervosas, que liberam pequenas bolsas com informações químicas chamadas neurotransmissores, fazendo com que cada experiência associada desencadeie um sentimento correspondente no cérebro e no corpo. É por isso que você se sente da forma como pensa, por exemplo, quando sente um mal-estar ao pensar em uma situação ruim ou quando sente euforia ao pensar em uma situação de grande alegria.

Toda experiência vivida produz memória, e quanto mais você repete uma experiência, mais fortalece a memória associada a essa experiência. É essa repetição rotineira de uma forma de pensar que estrutura as crenças e condiciona o corpo a uma química que modela os hábitos e leva até mesmo o corpo a se viciar em determinada maneira de pensar e sentir. É por isso que mudar um hábito é tão difícil. O corpo literalmente se vicia em um tipo de comportamento, de modo que uma "deixa" específica dispara impulsos elétricos no cérebro que ativam uma rede neural particular. Neurotransmissores são liberados no cérebro, que libera no corpo as moléculas da emoção, ou seja, neuropeptídeos produzidos no hipotálamo. Estes, por sua vez, levam a informação química para o corpo fazendo com que ele reproduza a experiência emocional relacionada a esse comportamento. É esse ambiente com informações químicas específicas que desencadeará a produção de proteínas no interior do núcleo e influenciará a expressão de nossos genes.

Perceba que se você não está satisfeito com a sua saúde e com os resultados que vem tendo na vida, é possível mudar essa situação desde que se determine a mudar seus hábitos e vícios ruins. Observe que vício é todo comportamento condicionado, que leva você a agir no piloto automático. Por isso existem vícios bons e vícios ruins.

Os vícios ruins são aqueles que comprometem a saúde, a qualidade de vida e o levam a uma vida desempoderada. Esses vícios são guiados por uma mente ansiosa, preocupada, carente e que busca soluções fora de si para compensar esses estados de desarmonia interior. Os vícios bons, por outro lado, como atividades físicas regulares, meditação, o exercício da autoconfiança e do autocuidado, são guiados pelo coração e elevam nossa saúde e nossa qualidade de vida. Para identificá-los e saber diferenciá-los, é fundamental o exercício do estado de presença, para sairmos do piloto automático e tomarmos as rédeas de nosso destino. Daqui a pouco mostrarei um exercício prático. Mantenha o foco.

Neurônios-espelho: Diz-me com quem andas e te direi quem és!

Os neurônios-espelho foram descobertos em 1994, na Universidade de Parma, na Itália, por três neurocientistas: Giacomo Rizzolatti, Leonardo Fogassi e Vittorio Gallese. Eles constataram que as ações de uma pessoa, quando observadas por outras, ativam no cérebro destas últimas as mesmas áreas daquelas que realizam as ações. Por exemplo, se uma pessoa coloca água num copo e o leva até a boca, o cérebro de quem a observa ativa as mesmas áreas neurais associadas a essa ação.[8]

A Medicina vem utilizando os estudos sobre os neurônios-espelho com sucesso na recuperação dos movimentos de órgãos de pessoas que sofreram algum tipo de acidente vascular cerebral (AVC) e compro-

[8] "Neurônios-espelhos" podem ser a chave do aprendizado e da cultura. *Casa do Psicopedagogo*. Disponível em: <http://www.psicopedagogavaleria.com.br/site/index.php?option=com_content&view=article&id=22:artigo-5&catid=1:artigos&Itemid=11>.

meteram o movimento de braços, mãos, pernas ou pés. Os cientistas começaram a mostrar filmes de pessoas saudáveis movimentando os mesmos órgãos que foram afetados nos pacientes, o que implicou uma recuperação mais rápida do movimento.

Os neurônios-espelho também estão associados ao processo de aprendizagem e ao ambiente predominante em que vivemos, haja vista que nosso cérebro reproduz, por ressonância, as experiências que observamos e vivenciamos. De acordo com Rizzolatti, "os neurônios-espelho nos permitem captar a mente dos outros não por meio do raciocínio conceitual, mas pela simulação direta. Sentindo, e não pensando".

Na verdade, nosso cérebro tende a imitar por meio de uma simulação aquilo que vemos ou ouvimos. Podemos traduzir a ação desses neurônios com o ditado popular que diz "Diga-me com quem andas e eu te direi quem és". Eu cheguei a gravar um vídeo sobre esse tema, em que falo sobre os neurônios-espelho e abordo o ditado do ponto de vista das companhias externas, que são as pessoas com quem mais convivemos, e também das companhias internas, que são os nossos pensamentos e sentimentos que mais nos acompanham no cotidiano e que refletem quem nós somos, de fato.

Há uma frase que se coaduna com essa compreensão dos neurônios-espelho, do brilhante escritor e palestrante norte-americano Jim Rohn, que se tornou uma referência no campo da Administração, Psicologia e Empreendedorismo: "Nós somos a média das cinco pessoas com quem mais passamos o tempo".

A descoberta dos neurônios-espelho oferece um respaldo para essa frase. No entanto, gostaria de expandi-la, pois muito do que nós somos hoje tem a influência direta de crenças limitantes que foram estruturadas ainda na infância, ou em outra fase de nossa vida, e reforçam padrões viciados negativos. Portanto, a minha frase adaptada ficaria assim: "Nós somos a média das cinco pessoas com quem mais passamos tempo e das cinco crenças principais nas áreas de saúde, espiritualidade, dinheiro, relacionamentos e negócios, que são referências para a nossa tomada de decisão e orientam nossos resultados".

Naturalmente, se você procurar as companhias certas, elas vão influenciá-lo positivamente nas mudanças que deseja implementar em sua vida. Por outro lado, à medida que busca fortalecer a presença e a autoconsciência, o seu estado de ser vai mudar e você criará uma nova impressão digital eletromagnética, que funcionará como um ímã para atrair as pessoas e as companhias certas para contribuir com a sua jornada evolutiva. A partir de agora, procure ficar mais atento ao que lê, ao que ouve e ao que assiste, pois você já sabe que o seu cérebro está sendo modelado cotidianamente por tudo que o influencia, positiva ou negativamente.

O simples ato de respirar lenta e profundamente, com consciência, promove inúmeros benefícios fisiológicos e energéticos para a saúde. Inspirando e expirando serenamente, você adquire qualidades revigorantes de prana, a energia vital disponível no ar. Intencione vibrações amorosas e de gratidão enquanto você simplesmente respira. Energize-se!

Momento de treinar seu corpo emocionalmente

No livro *Heart Inteligence* ("A inteligência do coração", em tradução livre), o fundador do Instituto HeartMath, Doc Childre, revela que, quando quer criar um estado de tranquilidade e de quietude interior, apenas senta e respira conscientemente. Ao inspirar, ele imagina um amor divino que preenche todo o seu ser. Ao expirar, ele irradia um sentimento de gratidão. Ao fazer isso a sua vibração se eleva. O coração, a mente, as emoções e o corpo são levados para um estado de alinhamento coerente e de quietude. Ele compartilha que essa ressonância cria um canal energético para o amor e proporciona uma orientação para a alma. Assim, o seu eu superior se integra mais facilmente a sua vibração humana.

Eu vou transformar essa dica do Doc Childre num pequeno roteiro meditativo para você utilizar nos momentos em que se sentir refém do piloto automático da mente e suas emoções roubarem sua energia:

1. Sente-se numa posição confortável
2. Leve a mão até o coração e inspire e expire contando até cinco ou até quanto se sentir confortável.
3. Mantenha a respiração bem mais lenta e profunda que a usual, e imagine que está inspirando e expirando através do coração.
4. Agora, ao inspirar, sinta-se preenchendo cada célula, cada átomo do seu corpo, com o amor divino incondicional.
5. Ao expirar, busque irradiar um profundo sentimento de gratidão por tudo que já viveu até aqui, pela pessoa que você é hoje e pela oportunidade que está tendo de evoluir e se curar de si próprio.
6. Mantenha-se nesse estado, inicialmente, entre dois e cinco minutos. Com a prática, pode aumentar esse tempo até atingir 15 minutos.

Essa prática pode ser feita tranquilamente durante uma conversa ou uma reunião, ao sentir que não está bem emocionalmente e pode perder a cabeça, ou simplesmente para se manter mais tranquilo e focado. Enquanto conversa com a pessoa, comece a imaginar que está respirando através do coração e reduza o ritmo da respiração, procurando respirar mais lentamente. Essa técnica, se realizada diariamente, equivale a um treinamento emocional para levar o coração, a mente, o cérebro e as emoções ao estado de coerência cardíaca no qual você vai naturalmente ter mais foco, tranquilidade e tomar melhores decisões.

Afirmações:

1. Eu estou cada vez mais consciente de que sou capaz de transformar minha mente e meu corpo num paraíso de saúde e felicidade.
2. Eu estou decidido a criar as melhores condições para viver com tranquilidade, equilíbrio e paz interior.
3. Eu faço a diferença no mundo.

Avante!

Capítulo 4

REPROGRAME-SE

> *Observe tudo que viveu até agora e perceba quanto a sua vida mudou. Ao perceber a transitoriedade de tudo, você verá que o Universo tem como lei maior o movimento incessante de todas as coisas em busca de níveis evolutivos mais elevados. Movimente-se!*
>
> WALLACE LIMA

A questão principal que se apresenta aqui é que, apesar de todos os seres humanos estarem em busca de uma vida saudável e feliz, na prática, parece que eles estão no caminho que os faz infelizes e doentes. As estatísticas que apresentamos no capítulo anterior revelam uma situação que, no mínimo, desperta apreensão e necessidade de mudança de rota e investigação das causas verdadeiras de tanto adoecimento. Dados do Ministério da Saúde de 2014 mostram que cerca de 40% da população brasileira tem, pelo menos, uma doença crônica. Pesquisa mais recente mostrou, ainda, que a obesidade aumentou em 60% no Brasil nos últimos dez anos. A impressão que temos é de que criamos uma lucrativa cultura de adoecimento em massa e que as pessoas estão aprisionadas e condicionadas a estilos de vida em que os problemas de saúde física, mental, emocional e espiritual passaram a fazer parte da rotina, instituindo o que o educador e psicólogo Pierre Weil chamou de Normose, que é a patologia da normalidade.

Vivemos numa sociedade em que o normal é viver doente, é não saber cuidar de si, nem do outro, nem da natureza. Uma cultura em que a desconexão dos valores humanos e das leis universais que regem a manifestação da realidade em nossa vida nos convida a investir em conhecimentos e práticas que nos reconectem ao elo perdido de nossa existência. Felizmente, a ciência moderna, a partir da Física quântica, da Neurociência e da Epigenética, está apontando um caminho seguro que possibilita uma reprogramação mental e genética, de modo que possamos acessar o nosso lugar de honra na existência e viver, não apenas para sobreviver e pagar contas, mas para exercitar o aprimoramento pessoal com alegria e disposição para o aprendizado incessante na roda da vida.

No entanto, para que a mudança e a transformação aconteçam, é preciso tomar a decisão de investir em você. É preciso se reconhecer como o ativo de maior valor no mercado. Para isso, o investimento precisa ser diário. Cada atitude, cada pensamento, cada ação, cada escolha refletem o seu potencial de semear, de investir para colher seus próprios frutos e, por meio da avaliação dos resultados, poder se preparar para colheitas cada vez melhores.

Já vimos que na vida a mudança é inevitável. A nossa natureza é mutável, transitória. Estamos aqui por pouco tempo e cada etapa da vida nos convida para aprendermos e evoluirmos com os desafios. Como já falamos, a evolução se dará de qualquer jeito, seja pelo amor, seja pela dor.

Não evoluir equivale a estagnar e perpetuar a dor, ficar em recuperação na escola da vida e repetir de ano. Sair desse ciclo equivale a começar, neurologicamente, a pensar fora da caixa, abrir-se para novos campos de possibilidades. Começar a usar a caixa de ferramentas incomensurável disponível no cérebro e em cada célula para modelar novos cenários no seu interior. O seu cérebro equivale a um brinquedo com um nível de complexidade extraordinária. Ele é flexível e treinável. Foi projetado para se adequar às suas ordens, ao seu propósito, às suas ações no mundo. O cérebro não julga os seus comandos. Ele apenas obedece e cumpre, à risca, as suas orientações, e é através dele que você manifesta no mundo material tudo aquilo em que acredita.

Simplesmente, acredite que você pode e acesse agora o mundo quântico de múltiplas possibilidades. Descubra onde está o caminho. Não espere que a porta se abra sozinha. Você verá que poderá seguir em várias direções.
Experimente-se!

A Física das possibilidades

Para quem está em busca de pensar fora da caixa, os conhecimentos oriundos da Física quântica são essenciais. A atitude de pensar dentro da caixa também está associada a achar que vivemos em um mundo material e que tudo pode ser resolvido na dimensão da matéria e das leis físicas que regem esse Universo. As Leis de Newton e a Mecânica celeste, criadas por ele, constituem o que chamamos de Física clássica e trazem, através de equações matemáticas consistentes, as Leis do Movimento e uma Lei Universal que revela a existência de uma força atrativa que rege toda a matéria do cosmos.

É através das Leis do Movimento de Newton que prevemos o movimento dos planetas em torno do Sol, da Lua em torno da Terra, a tábua das marés e a órbita de cometas como o cometa Halley, por exemplo. As Leis de Newton são aplicáveis ao mundo material e, desde que saibamos as condições iniciais de tempo, espaço e velocidade, podemos fazer previsões de estados futuros com grande precisão.

A Física clássica reinou absoluta por, pelo menos, 300 anos. Foi quando surgiram, no início do século XX, duas novas áreas da Física que viriam abalar o até então aparentemente sólido alicerce da ciência. A Física relativística, obra do gênio alemão Albert Einstein, revelou que tudo no Universo é energia e a própria matéria equivale a energia condensada. São as trocas e transformações energéticas que estão por trás do milagre da vida e por tudo o que se manifesta no mundo visível e invisível aos nossos olhos.

A outra área, a Física quântica, veio investigar o submundo atômico e constatar que, de fato, tudo no Universo é energia e tudo tem uma qualidade vibracional associada a uma frequência específica. Por outro lado, a Física quântica mexeu profundamente com a crença de que a essência do mundo é material. Ao mergulharem no interior do átomo atrás do substrato material, o que encontraram foi um gigantesco espaço vazio. O aparente espaço vazio no interior do átomo equivale a 99,999999999999% do volume do átomo, e o núcleo, a parte supostamente material, equivale a apenas 0,00000000001%. Esse imenso espaço vazio não só deixou os pesquisadores perplexos como fez surgir a pergunta de como a matéria poderia emergir dessa estranha natureza do átomo. Os físicos concluíram que esse aparente vazio, na verdade, equivalia a um mar de possibilidades associadas à energia pulsante e informação.

O próprio núcleo também tem essa característica pulsante, energética, vibracional. A estranheza do mundo quântico não parava por aí. O cientista alemão Max Planck, prêmio Nobel, lançou uma estranha hipótese de que, em torno do núcleo positivo do átomo, havia os elétrons com cargas negativas que ocupavam níveis de energias crescentes associados a números inteiros como 1, 2, 3,... e, com isso, revelava que a energia não se propagava continuamente e, sim, aos saltos. Havia um espaço vazio entre um número inteiro e outro e não havia níveis de energia intermediários. Para que um elétron salte de um nível inferior para um nível superior, ele precisa de uma motivação extra. Essa motivação equivale a uma quantidade extra e precisa de energia.

Se o elétron está no nível 1, por exemplo, terá de receber precisamente a quantidade de energia 2 para que possa atingir o nível 3, nem mais nem menos. O salto do elétron, de um nível para o outro, é o que se convencionou chamar de salto quântico. Já Plank chamou de *"Quanta"* as partículas de luz que saltavam de um nível de energia para outro, associado a um número inteiro. Cada nível de energia equivale a um nível quântico e, quando o elétron salta para outro nível, ele dá um salto quântico. O cientista dinamarquês Niels Bohr, também prêmio Nobel, provou matematicamente que o elétron, ao saltar de um nível de energia para outro, não poderia ser encontrado entre as órbitas. Ele simplesmente desaparece no nível 1 e reaparece no nível 3, mas não pode ser encontrado, durante o salto, entre os níveis 1 e 3.

O salto quântico é um salto descontínuo. A energia se propaga, de forma descontínua, no interior do átomo. O que é algo estranho e impensável nas leis da Física clássica e que rege o movimento sempre contínuo dos corpos materiais macroscópicos, como os planetas que giram em torno do Sol de maneira contínua. O mundo subatômico começa a se apresentar como um universo paralelo, com suas leis próprias.

As Leis de Newton não funcionam nesse universo quântico. O cientista Hugh Everett comprovou na sua tese de doutorado pela Universidade de Princeton a existência dos universos paralelos como um pré-requisito para a validação da Mecânica quântica. Por outro lado, a Teoria da Relatividade Geral de Einstein veio para prever a existência de corpos celestes chamados de buracos negros, que são regidos, também, por leis próprias e não podem ser explicados nem pela Mecânica quântica nem pela Mecânica clássica de Newton.

Os buracos negros só podem ser compreendidos pela Teoria da Relatividade Geral de Einstein, bem como o minucioso comportamento das estrelas e das galáxias e de corpos que viajam a uma velocidade acima de 10% da velocidade da luz. Para corpos que se movimentam abaixo de 10% da velocidade da luz, as Leis de Newton funcionam satisfatoriamente.

A Física quântica e a Física relativística abrem as fronteiras de novos universos inacessíveis à Física clássica, o submundo atômico e o mundo das estrelas, buracos negros, quasares, pulsares e das altas velocidades. Os rígidos alicerces da ciência começavam a se mexer a partir do colossal terremoto provocado pelos conhecimentos da Física moderna que emergem a partir do início do século XX. Apesar de os princípios da Física quântica e relativística serem a base das tecnologias mais avançadas e úteis do mundo atual, o desdobramento dessas teorias, como uma poderosa ferramenta para ampliar a nossa percepção de realidade, ainda é desconhecido da maioria das pessoas.

Nos últimos 30 anos, houve uma aceleração desse processo e cada vez mais pessoas estão acessando essas informações e ampliando, assim, a sua visão de mundo e potencializando o que temos de melhor.

Talvez você nem saiba até onde pode chegar pelo simples fato de ainda não ter se movimentado para ir a um novo lugar. Dê-se a chance de fazer algo novo, inusitado e descubra as novas fronteiras do viver.

Permita-se ousar!

No entanto, o mundo subatômico ainda tinha outras surpresas para sacudir a zona de conforto da comunidade científica e oferecer à humanidade perspectivas inusitadas. No século XVII, o cientista Christiaan Huygens apresentou ao mundo a sua Teoria Ondulatória da Luz e, de forma consistente, comprovou que a luz se comportava como uma onda. Ele mostrou que duas fontes luminosas interagiam entre si provocando o fenômeno da interferência, em que o comportamento ondulatório poderia ser fortalecido, quando a interferência era construtiva, ou fragilizado quando a interferência era destrutiva.

A comunidade científica aceitou a tese de Huygens de que a luz tinha um comportamento ondulatório e sepultou a tese de Newton que defendia que a luz era formada de partículas, o chamado modelo corpuscular. No entanto, em 1905, Einstein assombrou o mundo científico com a publicação de três artigos. Um deles tratava do efeito fotoelétrico que afirmava que a luz era composta de partículas, os fótons, ou os *quanta* de luz, usando a terminologia de Planck. Em outro artigo, Einstein apresentou a Teoria da Relatividade Especial em que comprova, através da sua famosa equação $E = mC^2$, que tudo no Universo é energia, inclusive a luz, que é uma forma de energia sutil.

A tese de Einstein era de que a luz é composta por partículas, os fótons, que não possuem massa, mas energia. Como na sua equação, a massa de um corpo é apenas uma forma condensada como a energia se expressa. Então a luz poderia ser considerada, ser composta por partículas. Einstein ganharia o prêmio Nobel em 1922 devido a sua explicação do efeito fotoelétrico e a comunidade científica ganhou um novo problema. Afinal, a luz era onda ou era partícula?

Foi quando Niels Bohr introduziu na ciência o Princípio da Complementaridade e o Efeito do Observador. Pela primeira vez na história da ciência, duas teorias aparentemente antagônicas, o modelo ondulatório da luz de Huygens e o modelo corpuscular de Einstein, estavam corretas e eram complementares da realidade. Bohr mostrou que, dependendo do aparato que fosse montado para observar a luz, ela poderia se comportar ora como onda, ora como partícula. Pela primeira vez, a ciência colocava o olhar do observador como determinante para validar a realidade observada.

Essa era uma conclusão radical, pois na Física clássica a realidade existia independente do olhar do observador. Na visão de Bohr, o mundo exterior não tem existência própria e está diretamente ligado à percepção que temos dele. Por isso, aquilo que chamamos de realidade não é algo separado de nós. É algo do qual também fazemos parte e, por isso, somos responsáveis.

Bohr costumava dizer que se você estudar a Mecânica quântica e não sentir nenhuma estranheza é porque ainda não entendeu nada. Por isso, se você acha estranho o que apresentamos até aqui, está no caminho certo. Mas não para por aí.

Em 1924, o lorde e físico francês Louis Victor de Broglie, em sua tese de doutorado, provocou um gigantesco terremoto no mundo científico ao afirmar que, se matéria é energia condensada e, se a energia, como a luz, tem um comportamento ondulatório, então todo o universo material também tem um comportamento ondulatório. O orientador de de Broglie, na época, enviou a tese para Einstein avaliar. Einstein devolveu dizendo que, apesar de estranha, a tese era matematicamente perfeita.

Seis meses depois, de Broglie recebeu o grau de doutor e o mundo científico, perplexo, começou a se movimentar no sentido de comprovar que sua tese era uma heresia. Então, em 1927, os cientistas norte-americanos Clinton Davisson e Lester Germer criaram um experimento com o intuito de comprovar que a matéria não tinha um comportamento ondulatório. No entanto, eles comprovaram, por fim, que de Broglie estava correto e que, de fato, vivemos num mundo de múltiplas possibilidades. Tudo o que percebemos no mundo material existe potencialmente enquanto ondas de possibilidades, e é o nosso olhar, de observadores, que colapsa as possibilidades, manifestando o que percebemos no mundo material.

Em 1929, de Broglie ganhou o prêmio Nobel por comprovar a natureza ondulatória do elétron e, consequentemente, do mundo material, já que tudo é constituído de elétrons. Inspirado no trabalho de de Broglie, o físico austríaco Erwin Schrödinger supôs que, já que a matéria tinha um comportamento ondulatório, era possível encontrar uma equação que representasse esse comportamento. De fato, ele descobriu uma equação que leva a uma função de onda. Hoje, mais conhecida como Equação de Schrödinger, ela comprova o caráter ondulatório da matéria e que o mundo material se comporta como ondas de possibilidade.

Atualmente, foi descoberto o campo de ponto zero, que equivale a um mar de energia e informação, também chamado de vácuo quântico, no qual residem, potencialmente, as infinitas possibilidades de tudo o que se manifesta no mundo material. A forma como nos comunicamos com o campo de ponto zero ou campo quântico, é não local, instantânea. Ela está além do espaço-tempo convencional da Física clássica. É a mesma maneira como acontece o salto quântico. O elétron aparece misteriosamente em outro nível sem ter transitado pelo espaço entre os níveis. A não localidade quântica é uma teoria que revela a inseparabilidade entre as partículas no mundo subatômico. Essa teoria é também conhecida como *entrelaçamento quântico* ou *emaranhamento quântico*. Tudo no mundo subatômico, de acordo com a equação de Schrödinger, existe enquanto ondas de possibilidades. É o olhar do observador que causa o colapso da função onda e faz com que o que era uma possibilidade no campo quântico se manifeste no mundo material. O colapso é a materialização do que existe em potencialidade, à espera de ser acessado para se manifestar.

Quando temos dois elétrons correlacionados e resolvemos separá-los fisicamente, observe o que acontece. Imagine que deixamos um elétron em um laboratório aqui no Brasil e o outro em um laboratório no Japão ou em qualquer parte do Universo. Ambos os elétrons, antes de serem observados, comportam-se como ondas de possibilidades e podem, teoricamente, estar em qualquer lugar dos laboratórios.

No entanto, se montarmos um aparato para observar o elétron, ele se revelará em um único lugar. O seu estado de onda colapsa, e ele se mostra no mundo material. Imagine, então, que resolvemos observar apenas o elétron do Brasil. Esse elétron colapsa a sua função de onda e se mostra no mundo material, e o elétron que está no Japão, mesmo sem ser observado, também se mostra no mundo material, colapsando a sua função de onda, como se estivesse sendo observado também. Isso se dá instantaneamente. Por isso, esse fenômeno é chamado de não localidade quântica.

Independentemente do local onde estão os elétrons, eles se comportam como se fossem um só. Niels Bohr chamava esse fenômeno de inseparabilidade quântica. As conexões quânticas não locais explicam as curas energéticas a distância tão comuns para os praticantes de Reiki, cura reconectiva ou práticas meditativas nas quais você direciona uma intenção de cura para alguém, bem como a telepatia e outros fenômenos que as pessoas costumam chamar de paranormais.

Os princípios quânticos estão trazendo todos os fenômenos de efeitos a distância no campo da normalidade. Einstein costumava dizer que se a não localidade quântica fosse comprovada, a Física quântica iria se aproximar da paranormalidade. Ele estava certo. Hoje, o que antes era conhecido como paranormal, agora está sendo estudado no campo da ciência de ponta. A próxima geração cibernética deve trazer os computadores quânticos que utilizarão a não localidade ou entrelaçamento quântico e farão com que os computadores de hoje sejam comparados a carroças.

Enquanto concluía este capítulo recebi um vídeo do amigo Robson Silva que trata de um experimento publicado na revista *Science* feito por físicos da Universidade de Ciência e Tecnologia da China, liderados pelo físico Pan Jianwei.[9] Eles realizaram o teletransporte quântico de fótons de um satélite que orbita a 100 quilômetros da Terra para duas estações separadas por 1.200 quilômetros. Esse experimento viabiliza, no futuro, a criação de uma rede global de comunicação quântica instantânea mediada por satélites.[10]

Para você ter uma ideia do aumento da velocidade, esse experimento realizado pelos chineses possibilitou uma comunicação um trilhão de vezes mais eficiente que a realizada hoje pelos melhores cabos de fibra ótica de que dispomos. Além disso, a transmissão de dados usando o entrelaçamento quântico elimina completamente a ação dos *hackers* e até a denuncia.

O experimento da intenção

A pesquisadora Lynne McTaggart, no livro *The Intention Experiment* ("O experimento da intenção", em tradução livre), revela inúmeras experiências realizadas à distância com o aval de cientistas respeitados. No meu curso on-line Salto Quântico, que já está em sua oitava turma, depois da fundamentação teórica, realizamos o experimento da intenção uma vez por semana. Uma pessoa da turma expõe seu desafio em um grupo fechado do Facebook e em um horário previamente agendado, toda a turma envia intenção de cura usando uma técnica do seu domínio ou simplesmente emanando amor incondicional para essa pessoa.

Temos obtido resultados extraordinários em que as pessoas revelam mudanças significativas e, às vezes, curas profundas. Esse é o

---

[9] Cientistas chineses realizam teletransporte com sucesso. *SputnikNews*, 16 jun. 2017. Disponível em: <https://br.sputniknews.com/ciencia_tecnologia/201706168664264--cientistas-china-teletransporte-experiencia/>.
[10] Chineses fazem teletransporte quântico entre a Terra e espaço. Disponível em: <https://www.youtube.com/watch?v=PrD8EwzvSWQ>.

caso da advogada ambiental, Mariangélica Almeida, de Brasília. Ela resgatou uma relação de conflitos que tinha com a mãe. A própria Mariangélica contou os detalhes da superação em um depoimento em vídeo, explicando como curou-se internamente e pôde receber a mãe em sua casa, depois de dois meses em uma UTI de hospital em uma situação muito grave de saúde.

Após o experimento da intenção, Mariangélica se sentiu tomada por uma onda de amor incondicional e de perdão. Por anos, a mãe morou com a filha em condições precárias de saúde, sendo cuidada por Mariangélica, que relatou que o amor pela mãe e a vida dela passou a ter um novo rumo, atingindo um alto nível de realização profissional. Nas palavras da própria Mariangélica:

> Havia um sofrimento que eu não conseguia curar, uma ponte que eu não conseguia atravessar e um perdão que eu não conseguia dar. Foi o Experimento da Intenção, feito pelo grupo do curso, liderado pelo Wallace e pela Laís Aidée, que me permitiu encontrar a cura. Muitos anos de sofrimento, de distanciamento, de mágoas caladas viraram acolhimento, compreensão e leveza. Eu sempre me emociono quando lembro desse episódio. Acho que sempre vou me emocionar por conta da libertação que foi. Perdoar, a si e aos outros, é uma grande cura e considero uma benção ter tido a oportunidade de me submeter ao experimento e poder fazer parte do grupo até hoje.

Para você compreender melhor o processo, deixo aqui o link do depoimento dela na íntegra, disponível no YouTube: <https://www.youtube.com/watch?v=vLHQBPjQJdE>.

As conexões quânticas não locais são muito comuns entre pessoas com fortes laços afetivos, como mãe e filhos, casais, irmãos gêmeos, amigos. Talvez você já tenha passado pela experiência de sentir o que uma pessoa que está longe de você também está sentindo. É comum, quando quero muito falar com uma pessoa, ela me ligar ou enviar um e-mail ou uma mensagem nas redes sociais. Também é comum pensar em uma música e outra pessoa próxima começar a cantar. As chamadas sincronicidades ou coincidências significativas foram estudadas pelo psiquiatra Carl G. Jung, que, com a ajuda do físico quântico e prêmio Nobel de Física quântica, Wolfgang Paul, sistematizou uma obra em que fundamenta, com base nos princípios da Física quântica, as coincidências que possuem um forte significado.

As sincronicidades também estão associadas a *insights*, que equivalem a momentos diferenciados de acuidade mental e criatividade que estão por trás de muitas descobertas científicas importantes e inspirações artísticas. Às vezes, por exemplo, estou numa livraria e encontro um livro do qual nunca ouvi falar que me traz respostas para um assunto que estou estudando naquele momento. Às vezes, vou dar um workshop ou uma palestra e recebo mensagens pelo WhatsApp que me inspiram *insights* para as apresentações. Hoje mesmo pela manhã recebi uma mensagem sobre uma temática em que tenho muito conhecimento e que contribuiu para inserir essas informações neste livro.

O convite que a Física quântica nos faz é para nos vermos em constante conexão com o mundo que nos rodeia. Somos seres energéticos, pulsantes, vibracionais. Não somos limitados pelo nosso corpo físico. Na verdade, o nosso corpo físico é a matriz energética capaz de acessar toda a informação que habita o Universo e que existe em estado adormecido, latente. Nós somos os mediadores do processo de manifestação no mundo material das infinitas possibilidades que estão disponíveis para nós no campo quântico.

Toda a matéria do Universo nada mais é do que um disfarce quântico em forma de energia condensada. No entanto, a essência da matéria é o seu conteúdo informacional, associado ao estado energético e vibracional que pulsa no interior de cada átomo. Por isso, são os nossos pensamentos, sentimentos e emoções que desencadeiam tudo o que se manifesta em nossa vida. Cada ser humano equivale a uma antena parabólica que emana para o Universo, 24 horas por dia, o conteúdo predominante de suas crenças e percepções, associadas aos seus pensamentos, sentimentos e emoções que oportunizam que cada um se conecte às infinitas possibilidades disponibilizadas pelo Universo de a realidade se manifestar em nossa vida.

É a nossa mente consciente que está por trás de toda a manifestação. Tem uma célebre frase de Max Planck que trata disso: "Não há matéria. Toda matéria se origina e existe apenas em virtude de uma força que faz a partícula de um átomo vibrar, e que mantém esse diminuto sistema solar do átomo em conjunto. Nós devemos assumir que essa força que está por trás da existência vem de uma mente consciente e inteligente. Essa mente é a matriz de toda matéria". Gregg Braden chamou essa matriz de "A matriz divina", em um dos seus livros.

Estive pessoalmente duas vezes com Gregg Braden, nos Estados Unidos. Em uma delas, numa imersão de quatro dias com Deepak Chopra, em que ele fez uma participação como convidado, e outra em um trabalho de quatro dias de imersão apenas com ele no Novo México. Como foi enriquecedor estar frente a frente com os dois e ter contato com os conhecimentos que propagam pelo mundo.

Em outras obras, Gregg traz uma reflexão sobre os manuscritos encontrados, inicialmente em 1947, no mar Morto, nas cavernas de Qumran. Ao todo foram encontrados mais de 900 manuscritos, em 11 cavernas na região da Cisjordânia, onde fica o Sítio Arqueológico de Qumran. Os manuscritos foram validados por pesquisadores e datam de 250 a.C. até o século I. São considerados textos bíblicos atribuídos aos povos essênios e ao profeta Isaías. Eles resgatam uma forma antiga de orar na qual a oração não é feita no intuito de pedir algo, o que revela um estado de carência, e sim de conexão com esse algo que já existe em estado potencial de dormência, e que apenas precisa ser acessado para que se manifeste.

A conexão com esse estado potencial se dá através do alinhamento dos nossos pensamentos, sentimentos e emoções. O passo seguinte, após a conexão, é agradecer pela manifestação, no mundo material, daquilo com que nos conectamos. A forma de orar revelada nos manuscritos do Mar Morto é plenamente coerente com os princípios da Física quântica e aponta para a integração entre os conhecimentos científicos e espirituais.

O filósofo e teólogo francês, Teilhard de Chardin, certa vez afirmou que somos seres espirituais vivendo uma experiência material. Essa reconciliação entre ciência e espiritualidade vem potencializar a dimensão da existência humana. No século XVII, quando o filósofo, matemático e médico René Descartes pediu a autorização do papa para dissecar cadáveres, com fins científicos, aconteceu a ruptura histórica entre a ciência e a espiritualidade. Naquela ocasião, o papa deu a permissão e limitou o estudo da ciência aos aspectos materiais. A religião cuidaria das questões do espírito, da alma. Hoje, a nova ciência evolui na integração mente-corpo-espírito, o que proporciona um conhecimento muito maior de nossas potencialidades e de nossa conexão com as leis universais que regem o cosmos em todas as dimensões: mental, emocional, física e espiritual.

O Princípio da Incerteza

Os princípios da Física clássica foram, mais uma vez, abalados quando o físico alemão Werner Heisenberg anunciou o Princípio da Incerteza. Heisenberg afirmou que era impossível, no mundo subatômico, determinar, ao mesmo tempo, a velocidade e a posição de uma partícula ou o tempo e a energia envolvidos no processo de observação. Quando se tinha precisão sobre uma informação, perdia-se a precisão sobre outra. Heisenberg concluiu que o ato de observar influenciava no estado das partículas. Para se observar uma partícula, como o elétron, era preciso luz. Como a luz é uma forma de energia, quanto mais luz se utilizava para precisar a localização do elétron, mais interferência havia na velocidade dele, já que os fótons de luz impulsionavam os elétrons com a sua energia, alterando, assim, a sua velocidade e o seu *momentum*.

Heisenberg afirmou que no mundo subatômico não poderia haver certeza sobre os estados futuros de uma partícula, como acontecia com as Leis de Newton e que era apenas possível determinar a probabilidade relativa ao estado de cada partícula. Einstein foi um dos primeiros a reagir contra o Princípio da Incerteza e chegou a afirmar que Deus não jogava dados ao acaso, referindo-se à lógica probabilística que rege o Princípio da Incerteza. Niels Bohr chegou a responder a Einstein dizendo que ele não deveria dizer a Deus o que fazer.

Na atualidade, o célebre físico inglês Stephen Hawking chegou a afirmar que Deus não só joga os dados ao acaso como, às vezes, os esconde no lugar que você menos espera. O Princípio da Incerteza é um dos pilares da Física quântica. Heisenberg veio também a receber o prêmio Nobel por sua brilhante e inusitada teoria. Certa vez, ele chegou a afirmar: "O que você vê não é a realidade propriamente dita, mas a realidade submetida ao seu método de investigação". Com isso, ele reforça a conexão direta entre aquilo em que acreditamos e aquilo que vemos e identificamos como nossa realidade.

Estabeleça um propósito, faça um acordo consigo mesmo de investigar a fundo as crenças que limitam o seu voo humano.
Reprograme-se!

A partícula de Deus

O Modelo-padrão é a principal teoria da Física moderna sobre as partículas do mundo subatômico e que possibilita compreender como se formam os átomos, as moléculas e toda a matéria do Universo, bem como as forças que mantêm toda essa complexa estrutura em ação. Havia uma lacuna no Modelo-padrão relativa à comprovação da existência de uma partícula que mediaria todo o processo para que as demais partículas se manifestassem enquanto matéria. Como já vimos, antes de ser observada, uma partícula do mundo subatômico, bem como tudo que vem a se manifestar enquanto matéria, já existe como possibilidade no campo quântico. A transição entre o mundo das potencialidades e o mundo que se manifesta aos nossos olhos enquanto matéria era o grande mistério a ser explicado.

Em 1964, os físicos Peter Higgs e François Englert, antes de se conhecerem, publicaram artigos que tratavam da existência de uma partícula que seria responsável pela transição entre o mundo das possibilidades e o mundo material. A partícula foi batizada como Bóson de Higgs, em homenagem a Peter Higgs e, posteriormente, foi popularmente chamada de "a partícula de Deus" devido a um livro publicado com esse título pelo físico e prêmio Nobel, Leon Lederman.[11]

A magia da transformação das possibilidades em matéria acontece quando o Bóson de Higgs passa pelas demais partículas no interior de um campo de energia chamado Campo de Higgs. Ela provoca efeitos de atração e repulsão entre as partículas, que adquirem massa, e aquelas que possuem afinidades entre si formarão os átomos — que são a base da matéria de todo o Universo. No entanto, essa teoria só pôde ser comprovada em 2012 após a construção do maior acelerador de partículas do mundo, o LHC, o Grande Colisor de Hádrons (*The Large Hadron Collider*).

A comprovação científica da existência do Bóson de Higgs fez com que Peter Higgs e François Englert ganhassem o prêmio Nobel de Física, em 2013, e fortaleceu ainda mais o Modelo-padrão. Além disso, possibilitou um maior conhecimento sobre como o Universo se formou. Apesar desse avanço gigantesco no campo teórico e prático, o Universo ainda continua um imenso mistério, pois o Modelo-padrão só possibilita explicar 4,6% de toda a matéria que nele existe. Como nós, seres humanos, o Universo também é um grande mistério a ser vivido e desvendado.

Você só pode ser refém de você mesmo

Os princípios da Física quântica, aliados aos conhecimentos da Neurociência e da Epigenética, deixam claro que o que vemos projetado no nosso mundo é aquilo em que acreditamos. Bruce Lipton, um dos grandes pesquisadores da Epigenética, comprovou, por meio de suas pesquisas, que são nossas crenças que determinam a nossa biologia. O trabalho da pesquisadora Candace Pert, descobridora dos receptores opioides e das moléculas da emoção, mostra que o

---
[11] O que é o bóson de Higgs? *Mundo Estranho*, 16 jul. 2015. Disponível em: <http://mundoestranho.abril.com.br/ciencia/o-que-e-o-boson-de-higgs/>.

que chamamos de realidade é inseparável de nossas memórias do passado e que a memória pessoal é estruturada não apenas no cérebro, mas também nos receptores celulares da membrana de cada célula de nosso corpo.

Todas as experiências que vivemos estão arquivadas em nossas redes neurais, bem como nesses receptores que processam as emoções associadas a tudo o que vivemos no passado, desde quando estávamos no útero de nossa mãe. Observe o que afirma Candace Pert em seu livro *Conexão mente corpo espírito* (Barany Editora, 2016):

> Estamos constantemente ressoando com aquilo que já sabemos ser verdade. Tudo que você sente é filtrado junto com um gradiente de experiências e lembranças passadas, que estão armazenadas em seus receptores – não existe nenhuma realidade absoluta ou exterior. Aquilo que você experimenta como realidade é a sua história sobre o que aconteceu.

Com base nessa afirmação, fica clara a necessidade de contarmos uma nova história para nós mesmos e a possibilidade de ressignificar tudo o que vivemos. Por isso, toda vez que você se sentir inferior, com a autoestima baixa, com medo, insegurança, arrogância, sem querer incomodar os outros com seu brilho, dificuldade de elogiar uma pessoa que brilha, que tem sucesso, sentir inveja, não dar o melhor de si naquilo que faz, enfim, ser arrastado por emoções, entenda que está diante de uma lembrança, de uma memória de dor ou trauma associado a alguma experiência negativa vivida no passado.

Nesses casos, o primeiro passo é identificar o programa, o condicionamento. O segundo passo é treinar-se para se colocar no papel de observador de seus próprios pensamentos que desencadeiam as crenças e percepções que sabotam a sua saúde, a sua qualidade de vida, prosperidade e a qualidade de suas emoções. O terceiro passo é treinar a mente para dar novos comandos assertivos sempre que uma memória de desempoderamento for acionada. Essa é a hora de ativar uma nova programação. Uma prática simples e imediata para usar sempre que a memória negativa vier é sobrepô-la com uma memória de poder, um momento inesquecível e maravilhoso que tenha vivido. Você também pode imaginar uma situação maravilhosa fictícia desde que se sinta como se estivesse vivendo, de fato, a situação.

Se você se acostumar a sempre ativar uma memória de poder, vai criar uma memória associativa. À medida que repete essa programação, o seu cérebro se condiciona a pegar um atalho e reforça as novas redes neurais, enfraquecendo as antigas, associadas às experiências negativas. Por outro lado, as novas redes neurais fortalecidas ativarão a produção de neurotransmissores e neuropeptídeos, que, por sua vez, ativarão novos receptores celulares e mudarão a fisiologia celular, levando os genes a fabricar novas proteínas associadas ao novo estado emocional.

Outra atitude de reforço é começar a agradecer pelas experiências de dor vividas e buscar compreender a oportunidade de aprendizado que a experiência proporcionou. Todo esse processo de ressignificação das memórias negativas e de associação das novas memórias poderá ser potencializado com a prática da meditação. O brilhante cientista Richard Davidson, da Universidade de Wisconsin, pesquisou o cérebro de monges budistas que praticavam meditação diariamente e observou que seu córtex frontal havia se expandido.

O córtex frontal, ou lobo frontal, é aquele que mais nos diferencia dos chimpanzés, já que temos 99,4% de nosso DNA igual ao desses animais, que mal possuem córtex frontal. O córtex frontal é chamado pelos neurocientistas de Diretor-geral. Ele equivale ao nível executivo da consciência, em que planejamos o futuro, fazemos nossas escolhas e decidimos para onde direcionar a nossa intenção. Em suma, é por meio dele que podemos dar um novo rumo a nossa vida e sair de condicionamentos doentios e desempoderantes. É por meio dele que podemos fortalecer nosso propósito de vida e se conectar à nossa missão, ao caminho de nosso coração.

As pesquisas mostram que a meditação vai potencializar o seu estado de presença, fazendo seu cérebro operar nas frequências mais baixas, das ondas Alfa, Theta ou Delta, e com que você acesse seu subconsciente mais facilmente e possa, assim, ativar novos programas favoráveis ao seu propósito e à sua missão de vida. No estado de vigília, o cérebro é dominado pelas frequências beta. Nas ondas beta mais altas, a pessoa vive no estado de estresse com a cabeça no passado ou no futuro, e suas ações comumente condicionadas pelas experiências negativas vividas no passado.

Candace Pert mostrou também que, ao responder aos impulsos dos nossos sentidos, a informação é processada em subestações no cérebro, as quais, por sua vez, processam as sinapses, que produzem memórias associadas às experiências. O ponto final é o córtex frontal que toma a decisão final de agir. Por exemplo, quando vemos algo, a informação acessada pela retina vem primeiro para a parte posterior do cérebro, o córtex occipital, e viaja por quatro estações de parada antes de alcançar a consciência no córtex frontal. Candace verificou que essas estações que filtram a informação sensorial, no caso, a visão de algo, são carregadas de receptores opioides cuja função é receber as moléculas de endorfinas que medeiam a sensação de prazer. E quanto mais a estação se aproximava do córtex frontal, maior é o número de receptores opioides, o que faz aumentar a sensação de prazer e alegria. Ela observou esse aumento do prazer em relação à audição e à visão. A conclusão é de que a sensação de prazer, de alegria e felicidade influencia diretamente nossas decisões e escolhas à medida que a informação é acessada pelo nosso cérebro e se aproxima do Diretor-geral, o nosso córtex frontal. Ou seja, ao planejarmos o nosso futuro, ou a cada momento em que estamos fazendo qualquer tipo de escolha, a decisão é tomada com base na expectativa de prazer em relação à escolha que fazemos.

Richard Davidson concluiu, com a observação através de neuroimagens do cérebro dos monges budistas, alguns com até 55 mil horas de meditação, que a área do cérebro associada à felicidade, ao processamento de emoções e sentimentos positivos, no córtex pré-frontal esquerdo, era mais desenvolvida. Eles desenvolveram a capacidade de agir com tranquilidade, equilíbrio e compaixão diante de situações difíceis do cotidiano.

O pesquisador de Harvard Dan Gilbert afirmou que, através de estímulos conscientes, o nosso cérebro pode fabricar felicidade. De fato, fabricamos felicidade quando treinamos o cérebro para transformar desafios em oportunidades. Dessa forma, podemos ressignificar os desafios passados e transformá-los em fontes de aprendizados, de prazer. Essa felicidade fabricada, sintetizada conscientemente, é acessível a todos. E isso é possível graças ao Diretor-geral, que tem a capacidade de diminuir o volume de todas as áreas do cérebro quando tomamos a decisão de orquestrar, criativamente, um novo caminho, de ousar fazer novas escolhas.

Procure, portanto, qualificar o que você vê e ouve. É através da audição e da visão que ativamos esse gradiente crescente de prazer. Use a imaginação para ressignificar a sua vida e construir um novo roteiro para você. Convide o Diretor-geral para construir novos cenários e fortalecê-lo como personagem central da sua história. Na palestra *Por que somos felizes*, que Dan Gilbert realizou no TED,[12] ele cita Sir. Thomas Brown, que, em 1642, escreveu "Eu sou o homem vivo mais feliz. Eu tenho algo em mim que pode converter pobreza em riqueza, adversidade em prosperidade. Eu sou mais invulnerável que Aquiles. O azar não tem como me atingir".

Dan Gilbert pergunta: "Que máquina notável esse homem tinha na cabeça? Na verdade, é a mesma máquina que todos nós temos", pondera. Ele afirma que os seres humanos possuem algo que equivale a um sistema imunológico psicológico. É esse sistema que conduz os processos, sobretudo inconscientemente, e que contribui para mudar a visão de mundo de modo a que os seres humanos se sintam melhores no mundo onde vivem.

Estou convencido de que essa felicidade fabricada, chamada por ele de sintética, pode ser treinada conscientemente e acessada sempre que acontece algo contrário à nossa vontade ou quando somos surpreendidos com uma situação negativa em nossa vida. Esse tipo de

---

[12] GILBERT, Dan. *Por que somos felizes*. Disponível em: <https://www.ted.com/talks/dan_gilbert_asks_why_are_we_happy?language=pt-br>.

felicidade fabricada pode até ser mais durável que a felicidade natural, que é quando realizamos o que queremos, sugere Dan Gilbert.

As emoções são pistas de como as experiências passadas o afetaram. Você pode passar a vida inteira refém de suas emoções querendo mudar o mundo em torno de si. No entanto, a cura está dentro de você.
Investigue-se!

A incrível máquina de criar realidades

Todos esses conhecimentos, insistentemente, convidam-nos a assumir 100% de nossa responsabilidade por tudo o que acontece em nossa vida. É essa aceitação consciente que abrirá janelas, portas e portais para que possamos investigar nossas dores mais profundas a fim de descobrir o ponto de mutação no qual nossa alma, nossa essência, se desviou de seu propósito e enveredou por um caminho no qual o significado atribuído às experiências trouxe a dor, o sofrimento e as doenças de forma perene a nossa vida.

Hoje, até parece que o comum é viver doente, angustiado. No entanto, todos os conhecimentos científicos, aliados aos conhecimentos ancestrais, nos levam a crer que o estado de saúde e bem-estar, aliado a um estado de felicidade perene, é o nosso estado natural, e a doença é o puxão de orelha que o nosso corpo nos dá sempre que perdemos o foco com relação ao que viemos fazer aqui, ao nosso propósito de vida.

Para isso, é preciso treinarmos o corpo emocionalmente para vivermos felizes. Assim, devemos ressignificar as experiências negativas e os desafios pelos quais passamos. É o significado que atribuímos às experiências que condiciona o corpo a processar emoções aflitivas ou emoções elevadas. Se sempre reclamamos, nos queixamos e nos vitimizamos, atraímos as emoções aflitivas e os hormônios do estresse, que passarão a governar nossa vida. Nessa condição, o corpo, mais cedo ou mais tarde, adoecerá, denunciando o ambiente tóxico criado pelo estado perene de estresse e mau gerenciamento das emoções. Por outro lado, se escolhermos agradecer em vez de reclamar, a cada experiência vivida, seja boa, seja ruim, estaremos convidando o quarteto serotonina, endorfina, dopamina e oxitocina, que são os hormônios associados ao prazer, bem-estar e felicidade, a inundar nosso corpo e mudar nosso estado de ser.

Isso terá uma repercussão direta em nossos sistemas imunológico, endócrino e nervoso, criando as condições ideais para vivermos em um estado perene de saúde crônica, em vez de vivermos em um estado perene de doença crônica. Uma nova área da Medicina, a Psiconeuroimunologia, mostra a conexão entre o sistema nervoso central, o sistema imunológico e o sistema endócrino.[13] Foi o neurofisiologista Robert Ader, da Universidade de Manchester, em Nova York, que descobriu, em 1981, que, da mesma forma que é possível condicionar a mente através de pensamentos e o corpo através das emoções e dos sentimentos, também é possível condicionar o sistema imunológico. Ele é o sistema responsável pela produção de nosso exército de defesa, as células brancas, ou glóbulos brancos do sangue, chamadas de linfócitos e capazes de atacar e eliminar os invasores externos, como vírus e bactérias nocivas.

O experimento de Robert Ader tinha o objetivo de condicionar ratos a detestar água com açúcar. Ele se inspirou no cientista russo Pavlov que condicionou cachorros a salivarem na expectativa de comida. Inicialmente, toda vez que oferecia comida aos cachorros, Pavlov tocava um sino. Com o tempo, ele deixou de dar comida e apenas tocava o sino. A memória associativa criada fazia com que os cachorros associassem o sino com a comida e começassem a salivar.

Já Ader associou a ingestão de uma droga que provocava náuseas e vômitos toda vez que os ratos bebiam água açucarada. Rapidamente, eles foram condicionados e passaram a sentir náuseas somente ao tomar água doce, sem ingestão da droga. No entanto, Ader observou que os ratos começaram a morrer apenas com a ingestão da água.

---

[13] BOTTURA, Wimer. Psiconeuroimunologia. *Rev Med*, São Paulo, v. 86, n. 1, jan.--mar.2007, p. 1-5. Disponível em: <https://www.revistas.usp.br/revistadc/article/viewFile/59166/62184>.

Desse modo, ele descobriu que a droga provocava uma supressão do sistema imunológico e o condicionamento havia feito com que os ratos não só passassem a sentir náuseas após ingerir apenas água adocicada, mas também deprimissem o seu sistema imune, deixando-os propensos a adoecer e morrer.

Hoje, sabe-se que as células do sistema imunológico possuem nervos na sua superfície, bem como receptores de endorfinas, o que faz com que se conectem diretamente com o cérebro através das moléculas da emoção. Além disso, descobriu-se também que células do nosso sistema imunológico chamadas linfócitos T, quando em fase inicial de desenvolvimento, são encontradas na glândula timo, situada na região do chacra cardíaco, próximo ao coração. Os linfócitos também se entrincheiram no baço e nos nódulos linfáticos onde ficam de prontidão para defender o corpo de qualquer invasor. O que acontece é que toda vez que atribuímos um significado negativo a uma experiência, um sinal químico é enviado aos linfócitos T, através das moléculas da emoção, fazendo que o nosso exército de defesa se enfraqueça e fiquemos suscetíveis a adoecer.

Pessoas estressadas, que perderam entes queridos, insatisfeitas no trabalho, que passaram por decepções profissionais ou afetivas ou que costumam reviver e ressentir situações traumáticas do passado são bem mais suscetíveis a gripes, resfriados e a desenvolver doenças cardiovasculares, câncer, diabetes ou doenças autoimunes, como esclerose múltipla e fibromialgia, quando o sistema imunológico ataca o próprio corpo, não se autorreconhecendo.

Em 1967, os psiquiatras Thomas Holmes e Richard Rahe iniciaram uma pesquisa com mais de 5 mil pacientes para avaliar 43 situações que poderiam ter ocorrido nos últimos dois anos na vida daquelas pessoas. Eles atribuíram um valor associado ao nível de estresse de cada experiência que chamaram de Unidade de Mudança de Vida (UMV).[14] Com isso, criaram um teste que indica o nível de estresse que uma pessoa pode ter e como isso pode afetar a saúde dela.

---

[14] Teste o seu nível de stress. *International Stress Management Association*. Disponível em: <http://www.ismabrasil.com.br/testes/teste-seu-nivel-de-stress>.

Por exemplo, uma doença ou lesão grave possui 74 UMV. Já uma doença sem gravidade, 20 UMV. Demissão do emprego: 74 UMV. Aposentadoria: 52 UMV. Separação de casal: 79 UMV. Divórcio: 96 UMV. Morte do cônjuge: 119 UMV. Morte do filho: 123 UMV. Morte dos pais ou irmão(s): 101 UMV. Morte de amigo próximo: 70 UMV. Observe como a perda de entes queridos tem o peso máximo entre as 43 situações listadas pelos pesquisadores, o que comumente é devastador para o sistema imunológico.

Eu senti isso quando meu pai faleceu, em 2002, e minha mãe dois meses depois. Também quando perdi a minha irmã mais velha. Nessa ocasião, minha outra irmã teve depressão e câncer de mama logo depois. Apesar de a morte ser o único fato pelo qual temos certeza de que todos nós vamos passar, na nossa cultura, não nos preparamos para morrer e aceitar com naturalidade esse ritual de passagem para outra dimensão da existência.

Em 2010, convivi de perto com a cultura tibetana na Índia e fiquei impressionado com a forma como eles lidam com a morte. Na verdade, eles têm treinamento para morrer em estado de paz e bem-aventurança. Como os tibetanos acreditam que a vida continua após a morte e que cada ser humano continua o seu processo evolutivo através da reencarnação, para eles é fundamental que o momento da morte seja com alegria, emanando boas vibrações para toda a humanidade.

Eles acreditam que, assim, criam as melhores condições para que o espírito, ao reencarnar, o faça de forma mais favorável, refletindo o estado em que morreram. Isso faz com que sofram menos com o ritual da morte do que nós ocidentais. No *Livro Tibetano dos Mortos* e no *Livro Tibetano do Viver e do Morrer* você encontrará as informações que levam os tibetanos a superarem a morte com muito menos sofrimento. No *Livro Tibetano do Viver e do Morrer*, o mestre Sogyal Rinpoche orienta como acompanhar uma pessoa no seu leito de morte.

Agora que já sabemos como as situações negativas deprimem o nosso sistema imune, vamos entender como podemos fortalecê-lo vivenciando experiências positivas. O psicólogo norte-americano

David McClelland, da Universidade de Harvard, fez um experimento que ficou conhecido como o efeito Madre Teresa.[15] Ele apresentou aos alunos um filme que mostrava as obras humanitárias da Madre Teresa de Calcutá, na Índia, cuidando de pessoas simples, moribundas, em estado de muito sofrimento. Após o filme, o sangue dos estudantes foi comparado com amostras retiradas antes, indicando que o sistema imunológico dos alunos estava bem mais forte, devido ao aumento da imunoglobulina (IGA), que é um anticorpo que nos protege da invasão de vírus e bactérias através das mucosas.

Por outro lado, outra pesquisa de Harvard constatou um índice bem acima da média de faltas ao trabalho e óbitos associados a doenças cardiovasculares na segunda-feira. Essa pesquisa é conhecida como Síndrome da Segunda-feira[16] e tem como fator preponderante, além do abuso de bebidas e comidas pouco saudáveis durante o fim de semana, o fato de que muitas pessoas estão desmotivadas no trabalho, fazendo muitas vezes o que não gostam apenas para sobreviver. Além disso, muitas vezes convivem em ambientes desestimulantes, o que as leva a viver em um estado permanente de estresse, fragilizando seu sistema imune e adoecendo-as e, às vezes, até levando-as à morte.[17]

Com a chegada do fim de semana ou das férias, a pessoa relaxa um pouco e, quando chega o domingo à noite, dá-se início ao martírio emocional ao pensar que no outro dia terá de voltar a um ambiente em que não se sente motivada a trabalhar. Outra pesquisa de Harvard mostra que um funcionário pode passar a vida inteira trabalhando com um rendimento de 25% da sua capacidade em função da baixa motivação. Quando motivado, esse rendimento chega a 80%, mais de três vezes maior.

---

[15] Conheça o efeito Madre Teresa. Disponível em: <http://espacohumanidade.com.br/index.php/2016/03/23/conheca-o-efeito-madre-teresa/>.

[16] ARANDA, Fernanda. Segunda-feira fatal. *Jolivi*, 22 nov. 2015. Disponível em: <https://www.jolivi.com.br/batida-certa/segunda-feira-fatal/>.

[17] FILOMENO, Leonardo. Síndrome de segunda-feira ou desmotivação profissional. *Manual do homem moderno*. Disponível em: <http://manualdohomemmoderno.com.br/comportamento/sindrome-de-segunda-feira-ou-insatisfacao-profissional>.

Em 2014, um estudo publicado no *European Journal of Epidemiology* mostrou que os homens possuem um risco 20% maior de infartar na segunda-feira e as mulheres, 15%. Toda vez que atribuímos um significado simbólico negativo a alguma experiência, reduzimos a produção de endorfinas e deprimimos o nosso sistema imune, a partir do aumento dos hormônios do estresse, o que diminui a produção dos linfócitos T na glândula timo. Por outro lado, a glândula timo secreta uma substância chamada timosina fração 5, que atua sobre as glândulas suprarrenais aumentando a produção de hormônios que estimulam o sistema nervoso central.

É assim que se ativa um circuito psiconeuroendocrinoimunológico, com a atuação das endorfinas produzidas no cérebro sobre o sistema imune, que estimula o sistema endócrino a produzir a timosina fração 5, que estimula o sistema nervoso central. Observe que temos aqui os fundamentos científicos da Medicina Mente-Corpo, os quais evidenciam que somos capazes de materializar os neurotransmissores e os hormônios a partir de um simples pensamento e, dessa forma, mudar o nosso estado de ser e conduzir a vida de modo a atrair um estado de doença ou um estado de saúde, fazendo de cada ser humano uma máquina poderosa capaz de criar, consciente ou inconscientemente, a própria realidade.

Hoje eu declaro a minha legítima alforria. A partir de hoje, eu me submeterei irremediavelmente à minha alegria de viver, à minha capacidade de sorrir e crescer diante dos desafios e adversidades. Hoje, eu me declaro arquibilionariamente feliz. Hoje, eu declaro a felicidade como o meu bem maior e jamais abrirei mão desse direito herdado de nascença da inteligência infinita que me criou. Sou poderoso e, por isso, a inveja, o mau-olhado, a ingratidão, a pequenez e a falsidade não me atingem mais. Eu decidi me coroar Rei Eterno do meu mundo interior e, por isso, consigo cruzar infinitos universos e acessar infinitas possibilidades de ser feliz dentro de mim.

Por que isso interessa a você?

A reflexão anterior é uma afirmação com o objetivo de estimular um diálogo positivo de empoderamento de você com você mesmo. Todos os conhecimentos compartilhados até aqui são um convite para que você mude e qualifique a relação com a pessoa mais importante do mundo para você, ou seja, você mesmo. Aliás, se você não se vê como a pessoa mais importante do mundo para você, quer dizer que na hierarquia da existência você se coloca em segundo plano.

Colocar-se em primeiro plano é um passo decisivo rumo a uma transformação mais profunda e efetiva. Precisamos viver com a estima elevada, o que requer exercitar a autovalorização, a autoconfiança. Precisamos gostar de nós mesmos, exercitar o autoperdão e a gratidão por todas as coisas. A nossa mente tem o potencial infinito de criar novas e saudáveis realidades. No entanto, também tem o potencial de nos destruir, de nos tirar a motivação e a alegria de viver. O objetivo deste livro é trazê-lo para o campo de batalha da vida, com você plenamente convencido de que é um vencedor, de que o Universo é seu amigo e está criando a todo momento as melhores condições para você evoluir. Para isso, é essencial que turbine a sua mente com novas informações que o ajudem a sair da zona de conforto e a desconstruir crenças e percepções que o limitem.

Por outro lado, é preciso estar atento e vigilante aos inimigos internos, às atitudes e aos comportamentos diários que lhe roubam energia e que o impedem de compartilhar o seu brilho, a sua luz, os seus talentos. O passado não pode ser um predador da sua esperança. O que importa é o que você é capaz de acessar agora, neste momento. E é preciso que você se convença de que é o arquiteto e o engenheiro-chefe da grande obra que é a sua vida. Afirme-se como um vencedor. Decida agora ser o artesão do seu destino. Dê as ordens ao Diretor-geral, o córtex frontal, diga aonde você quer chegar e exercite ser, no presente, a experiência que você quer ver no mundo.

Exercício prático: meditação para mudança de padrão negativo e para manter o foco

Toda vez que quiser mudar o padrão de pensamentos negativos persistentes ou simplesmente manter o foco e a tranquilidade interior use o passo a passo a seguir:

1. Leve as mãos até a região do coração e comece a respirar num ritmo bem mais lento que o normal, imaginando que está respirando através do coração.
2. Sinta o seu abdômem enchendo ao inspirar e esvaziando ao expirar. Na medida do possível, deixe que a sua expiração seja um pouco mais demorada que a inspiração.
3. Enquanto inspira e expira, repita mentalmente a sequência de palavras: harmonia, inteireza, confiança, clareza, equilíbrio e tranquilidade.
4. Mantenha essa respiração por pelo menos cinco minutos e faça isso sempre que precisar mudar a vibração e manter o foco e a tranquilidade.
5. A meditação também pode ser feita durante uma conversa ou reunião. Para isso, apenas direcione a sua atenção para a região do coração, respire lenta e profundamente e repita a sequência mentalmente: harmonia, inteireza, confiança, clareza, equilíbrio e tranquilidade.

Afirmações

Aproveite o estado de tranquilidade obtido com a prática anterior e repita as seguintes afirmações:

1. De hoje em diante, eu selo um pacto de paz comigo mesmo e me fortaleço interiormente ouvindo a voz do meu coração.

2. Todos os dias eu me acordo e determino os melhores pensamentos possíveis que vão governar o meu dia.
3. Eu escolho ser feliz e, diante de qualquer situação, eu reajo sempre com confiança, inteireza, equilíbrio, clareza e tranquilidade.

Capítulo 5

COMO FAZER UM *UPGRADE* NA INTELIGÊNCIA

> *Não se deixe roubar por pensamentos que o levem à confusão interior. Eles são os maiores ladrões da sua energia vital. Eleve seus pensamentos e fortaleça-se. Sem paz interior, você não conseguirá ir muito longe. Reconecte-se!*
>
> WALLACE LIMA

Os conhecimentos científicos de hoje nos possibilitam rastrear os caminhos que um pensamento pode ter no cérebro através de equipamentos de neuroimagem e ressonância magnética, bem como mapear os estragos ou benefícios provocados nos sistemas imunológico, endócrino e nervoso. Isso é possível devido ao significado emocional que atribuímos a cada pensamento. Assim, com o treinamento adequado, temos condições de mudar a cultura vigente e fazer um *upgrade* nas nossas inteligências múltiplas e, sobretudo, na nossa inteligência emocional, relacional e espiritual.

Os conhecimentos contemporâneos sobre a cultura, ainda, predominantemente materialista e mecanicista em que vivemos, pouco dizem do poder destrutivo de um pensamento de se transformar em matéria corrosiva no nosso próprio corpo através dos neurotransmissores e das moléculas da emoção associadas ao estresse. Essas moléculas obedecem, sem questionamentos, aos ditames de nossas crenças dominantes e percepções e transformam o nosso corpo em um campo de batalha. Nele somos, muitas vezes, capazes de nos transformar nos nossos piores inimigos.

Cada palavra traz uma vibração que pode ser fortalecida em função do contexto cultural em que a pessoa vive e das memórias emocionais que a pessoa possa ativar com base em experiências passadas. Em 2013, organizei em São Paulo o III Simpósio Internacional de Saúde Quântica e Qualidade de Vida. Um dos palestrantes que convidei foi o cientista japonês Masaru Emoto. Ele ficou famoso por mostrar, com experimentos científicos, como as palavras, bem como orações e o estado vibracional das pessoas, afetam a estrutura da água.

Palavras e pensamentos com vibrações negativas desestruturam os cristais da água, enquanto palavras, pensamentos e sentimentos elevados promovem a estruturação de belos cristais simétricos que ele documentou em belíssimas fotografias através da técnica que desenvolveu. Emoto mostrou que um simples *"obrigado"* promove a estimulação de cristais harmônicos na água independentemente da língua em que foi proferido. Nos seus experimentos, as palavras que estruturaram os mais belos cristais na água foram *"amor e gratidão"*.

Essa comprovação está coerente com o que os pesquisadores vêm chamando de Ciência da Felicidade, que revela: quando expressamos amor e gratidão, fortalecemos os nossos sistemas imunológico, endócrino e nervoso e acionamos a produção dos hormônios do prazer, da felicidade e do bem-estar, como serotonina, dopamina, endorfina e oxitocina. Eles inundam o nosso corpo e elevam o nosso padrão vibracional nos protegendo das doenças. De fato, uma pessoa feliz dificilmente adoece. E mesmo quando adoece, ao desenvolver uma atitude otimista perante a vida, fortalece a capacidade de se recuperar e a disposição de investigar as causas do adoecimento, contribuindo para que rapidamente se recupere.

No Simpósio, em São Paulo, convidei o doutor Masaru Emoto para realizar um ritual de cura das águas do Rio Tietê, sabendo que ele já havia realizado um ritual de cura das águas contaminadas pela radiação nuclear, em 2011, na usina de Fukushima no Japão. Foi um belo ritual que ajudou a divulgar o seu trabalho e que mostra como os nossos pensamentos, sentimentos, comportamentos e ações afetam diretamente a nossa saúde e qualidade de vida.

Eu mesmo pude validar o trabalho dele quando, em 2008, depois de assistir a um vídeo seu, resolvi replicar um experimento que ele comentava no vídeo. Peguei dois frascos de vidro, lavei bem, enxuguei e coloquei, em ambos, arroz integral cozido. Iniciei o experimento num sábado. Tampei os frascos e deixei-os no mesmo ambiente distantes um do outro na sala do meu apartamento. Peguei um dos frascos e procurei externar para ele, através de palavras e sentimentos, tudo de bom que eu poderia expressar: amor, gratidão, compaixão, alegria etc. Fiz isso durante alguns meses com o frasco entre as mãos e focando a atenção nele. Já para o outro frasco procurei expressar palavras e sentimentos negativos, como raiva, ressentimento, mágoa, ódio etc. Quando estava viajando, enviava a intenção a distância. Procurei me conectar a experiências boas e ruins da minha vida e procurei transferir para o arroz, com intensidade, tanto as boas energias como as energias negativas.

Para minha surpresa, na terça-feira seguinte, o arroz para o qual havia direcionado energias e vibrações negativas amanheceu com mofo. E o outro, para o qual havia enviado boas energias, parecia igual a quando havia colocado no frasco. Esse experimento durou alguns meses e eu cheguei a levar os dois frascos de arroz para algumas palestras que realizei no Recife e os fazia circular entre as pessoas para que vissem de perto a diferença.

Com o passar do tempo o mofo foi escurecendo e criando uma capa escura, enquanto o outro arroz nunca chegou a mofar. Averiguei de perto quanto nossas emoções têm poder. Essa é uma experiência fácil de ser replicada, mas evite comentar que a está fazendo. Escolha um ambiente em que possa colocar o arroz sem que as pessoas vejam e saibam o que está fazendo. Assim, você evitará a interferência de energias externas e poderá tirar melhor as suas próprias conclusões. Seja um cientista de si mesmo, como venho propondo às pessoas que acompanham o meu trabalho.

Mapeando o seu mundo interior

O Universo responde a quem você verdadeiramente é. Não a quem você pensa que é.

O experimento do arroz me convidou a ficar muito mais atento à qualidade de tudo o que falava, pensava e sentia. Passei a exercitar o "orai e vigiai" com mais atenção. Hoje, criei mecanismos internos que me ajudam a mudar o padrão sempre que me pego dando demasiada importância a algo negativo que ocorreu ou quando percebo pensamentos invasivos e corrosivos que refletem experiências negativas que vivenciei no passado.

Eu o convido a treinar acionar o seu GPS interior para rastrear pensamentos, sentimentos, crenças e percepções que estejam roubando a sua energia e comprometendo a sua paz interior. Observe as circunstâncias negativas de sua vida e que costumam se repetir. A repetição de um resultado contrário às nossas expectativas revela a existência de um padrão persistente que está operando no piloto automático a partir de memórias subconscientes associadas a experiências do passado. Isso faz com que você sempre atraia para a sua vida as mesmas situações e o mesmo tipo de pessoas que contribuem para que você reforce o padrão.

O primeiro passo para sair da armadilha do subconsciente é ter a consciência de que você não é o que pensa que é. Ou seja, muitas vezes, os seus pensamentos apenas revelam o mentiroso, ou mentirosa, que acostumou ser consigo mesmo(a). De fato, contamos mentiras para nós mesmos quando nos condicionamos a pensar de uma maneira que nos leva a obter os resultados que não queremos. Assim, damos voz a pensamentos e sentimentos que não correspondem a nossa verdade. Eles apenas refletem hábitos que viciaram o corpo em uma química que ativa no cérebro sempre as mesmas redes neurais e, nas suas células, a criação das mesmas proteínas.

É como se você se comportasse como uma fábrica de automóveis que não conseguiu se atualizar com as novas tecnologias e continua com a mesma linha de montagem, fabricando os mesmos carros que fabricava há 50 anos, usando tecnologias pouco eficientes que já foram superadas. Imagine comparar o desempenho de um fusca fabricado há 50 anos com o desempenho do último modelo de uma Ferrari, por exemplo. É por isso que o primeiro passo é vigiar seus pensamentos e ter clareza de que você não é os seus pensamentos. Você pode estar apegado ao passado, insistindo em repetir velhos programas mentais que faz com que gaste muita energia e tenha pouca eficiência nos seus resultados. Estar vigilante possibilitará identificar os pensamentos mentirosos que não permitem que você se renove e o fazem continuar funcionando como aquela fábrica de automóveis que não se atualizou. Investigue se seus pensamentos dominantes revelam um condicionamento limitante, nas áreas social, cultural, religiosa ou familiar. Talvez você tenha a oportunidade de, ao fazer um *upgrade*, na qualidade de seus pensamentos, contribuir para transformar comportamentos doentios que já se repetiam há séculos na sua linhagem familiar. Nesse momento, você não só estará se curando, mas contribuindo para a cura do sistema como um todo.

Índice de Investimento Pessoal (IIP)

O salto quântico na mente equivale ao salto quântico no interior do átomo vivido pelo elétron, que necessita de uma quantidade de energia precisa para se motivar a saltar para o nível mais alto.

Eu vou introduzir, a partir de agora, alguns índices que o ajudarão no processo de autoinvestigação de suas potencialidades e dos obstáculos internos e externos que o impedem de expressar seu brilho interior e o motivarão a dar o seu salto quântico na mente.

Nossa mente também funciona à base de motivação, que é o que nos fornece energia para ir para o próximo nível. Sem essa motivação, é comum nos acomodarmos na zona de conforto e deixar a vida ser uma repetição de circunstâncias em que nos sentimos como se vivêssemos andando em círculo, com a repetição das mesmas experiências.

A maior motivação que um ser humano pode ter vem de novos conhecimentos. Einstein costumava dizer que uma mente que se abre a uma nova ideia nunca volta ao seu tamanho original. É isso mesmo. Abrir-se a uma nova ideia equivale a uma nova configuração neural no cérebro e nos receptores celulares das células. Uma nova experiência está sendo registrada e, quanto mais colocar em prática a nova ideia, poderá transformá-la em um novo e saudável hábito.

O seu IIP está associado aos livros que lê, aos filmes e vídeos de boa qualidade, bem como a músicas, workshops, cursos, congressos e simpósios que contribuam para expandir as fronteiras do seu conhecimento, ou novas amizades e convivência com pessoas que vivam com propósito e que transformaram a própria vida e buscam o aprimoramento constante. Participação em mentorias e *masterminds* também são aceleradores do seu IIP.

Na nossa Mentoria Infinitize-se, oferecemos ferramentas práticas e teóricas, além de acompanhamento personalizado, para a pessoa acessar o seu infinito potencial de criar, conscientemente, a sua realidade, conectada com o seu propósito de vida e a sua missão pessoal. A velocidade da transformação é sempre proporcional ao IIP, bem como a determinação, o foco e o entusiasmo para mudar.

Um grande salto acontece quando a pessoa exercita vigiar seus pensamentos e aprende a mudar o padrão quando reconhece pensamentos que roubam energia e que sabotam o seu propósito de vida. É esse exercício diário que abre as portas para você estruturar um novo eu que potencialize uma relação saudável, proativa e revigorante consigo mesmo. Lembre-se de que são suas crenças e percepções dominantes que vão determinar a sua biologia. Criar um novo eu só será possível com a estruturação de novas crenças, a partir do *download* de novos arquivos de memória que serão arquivados no seu subconsciente, possibilitando a manifestação de uma nova realidade pessoal. Como já falei, a prática da meditação diária entra como uma ferramenta poderosa para atingir esse fim e com todo respaldo científico que temos hoje.

A vida nem sempre vai te dar o que você quer. Ela vai dar o que você precisa. Observe o que está oferecendo à vida, pois ela costuma devolver na medida do que você oferece. Observe-se!

Índice de Agressão ao Corpo (IAC)

O Índice de Agressão ao Corpo é uma estimativa do que você proporciona ao seu corpo que não é compatível com ele. A vida moderna condicionou muitas pessoas a terem um estilo de vida que funciona como um vigoroso agressor do próprio corpo. Açúcar branco e sal refinado são considerados precursores de inúmeras doenças. Alimentos processados, industrializados, legumes, verduras e frutas cultivadas com agrotóxicos, medicamentos químicos, bebida alcoólica e cigarro são apenas alguns dos agressores que atuam no nível físico produzindo inúmeras toxinas no corpo. Eles são precursores de muitas doenças crônicas e autoimunes.

No nível energético, situações traumáticas vividas no passado, ao serem lembradas, também produzem toxinas que levam o corpo a um estado de estresse capaz de influenciar mudanças epigenéticas. O estresse também pode ser induzido no nível das emoções provocadas por sentimentos de medo, raiva, preocupação, sobrecarga de trabalho, perdas familiares ou outros fatores, bem como pode estar relacionado às toxinas químicas de medicamentos e alimentos industrializados.

Cada tipo de estresse pode iniciar mais de 1.400 reações químicas e produzir mais de 30 hormônios e neurotransmissores que influenciam diretamente o funcionamento do corpo-mente através do sistema nervoso autônomo, como revela o neurocientista Joe Dispenza em seu Livro *You are the Placebo*.

Radiações eletromagnéticas provocadas pela grande exposição a aparelhos eletroeletrônicos ou por morar nas imediações de subestações geradoras de energia elétrica também afetam o funcionamento das células e comprometem a saúde. Daí a necessidade de, periodicamente, ter contato com a natureza, tomar banho de cachoeira ou de mar, andar de pés descalços, abraçar uma árvore, fazer um detox no corpo com sucos vivos, com frutas e verduras orgânicas, praticar atividades físicas regulares, tomar banho de Sol e um detox da mente e da alma praticando ioga, meditação, tai chi chuan, e orando. Ou você ainda pode cantar, dançar, tocar um instrumento.

Uma recente pesquisa feita em um período de 11 anos pelas Universidades de Coventry, no Reino Unido, e Radboud, na Holanda, foi publicada no *Journal Frontiers in Immunology* e relatou os benefícios de práticas como ioga, meditação mindfulness, tai chi chuan e qigong, na resposta de relaxamento e regulação da respiração.[18, 19]

Nessa publicação, a pesquisadora Ivana Buric, líder da pesquisa, afirmou que

> Essas atividades estão levando ao que chamamos de assinatura molecular nas nossas células, capaz de reverter os efeitos que o estresse ou a ansiedade possam ter no corpo através da mudança na forma como nossos genes se expressam. Simplesmente, essas práticas agem no cérebro e conduzem o nosso DNA ao longo de um caminho que turbina o nosso bem-estar.

Essas atividades que os cientistas chamam de intervenção mente-corpo estão sendo cada vez mais comprovadas cientificamente como práticas que promovem saúde e previnem doenças, levando a crer que a prática contínua fará com que as pessoas dependam cada vez menos de médicos, medicamentos e cirurgias e proporcionem uma vida longa

---

[18] The Positive Effects of Yoga and Meditation at the Molecular Level. *Dr. Joe Dispenza's Blog*. Disponível em: <http://www.drjoedispenza.com/blog/meditation/the-positive-effects-of-yoga-and-meditation-at-the-molecular-level/?inf_contact_key=00d0dc93e90e950a425d4849d5ddff9e765760c64b79cb760707534fb4f1f676>.

[19] What Is the Molecular Signature of Mind–Body Interventions? A Systematic Review of Gene Expression Changes Induced by Meditation and Related Practices. *Front. Immunol.*, 16 June 2017. Disponível em: <http://journal.frontiersin.org/article/10.3389/fimmu.2017.00670/full?inf_contact_key=265ad5d84a8b61db79883a437c41c43c62ddd7e655f4cf2009214b1f56311114>.

com mais saúde e qualidade de vida. Pesquisas científicas também comprovam o ditado popular. "Quem canta os males espanta!".

Vários estudos científicos demonstram que cantar produz um efeito calmante e energizante devido à liberação de endorfinas e oxitocina, que são neurotransmissores associados ao prazer, à confiança e ao bem-estar e que contribuem para liberar o estresse e a ansiedade.[20] Cantar ajuda as pessoas com depressão e reduz o sentimento de solidão contribuindo para que se sintam felizes, relaxadas e mais conectadas consigo mesmas, já que reduz os níveis de cortisol, hormônio associado ao estresse. Portanto, fique à vontade para cantar no banheiro, tocar um instrumento e cantar onde e quando quiser, pois isso fará muito bem a você. Solte a sua voz!

Índice de Ausência Inconsciente (IAI)

O que chamo de Índice de Ausência Inconsciente é uma estimativa do tempo que você vive no piloto automático e suas escolhas não têm qualquer criatividade. Você simplesmente reproduz o modelo de comportamento vivido no passado. Muitas vezes, são hábitos arraigados ligados a um estilo de vida pouco saudável ou a uma maneira de pensar que compromete o empoderamento pessoal, o bem-estar e a sua saúde.

Nesse estado de ausência, você está com a cabeça no passado ou no futuro reproduzindo padrões vinculados às experiências passadas ou se preocupando com o futuro, tendo como referência o que viveu no passado, abrindo a porta para que o transtorno de ansiedade roube sua energia vital.

Sugiro que, logo ao acordar, fique atento aos seus pensamentos para que não seja arrastado para rememorar uma experiência vivida no passado ou comece a se preocupar com o que ainda vai acontecer, querendo controlar os acontecimentos futuros em um estado de preocupação, que torna praticamente impossível uma vida saudável. O

---

[20] SHEPPARD, Cassandra. The Neuroscience of Singing. *UpLift*, 11 dez. 2016. Disponível em: <http://upliftconnect.com/neuroscience-of-singing/?inf_contact_key=a1d1ecbd3634afbf3976ef3f9f1a1cbb9a82a97b7e04597286d269d8ee6693e9>.

estado de preocupação costuma ser motivado por medo, insegurança ou carência, e, desse modo, atraímos aquilo que não queremos. É o seu estado de ser que condiciona os seus resultados. Ao identificar um desses estados, comece a respirar lenta e profundamente pelo abdômen e a expressar o sentimento de gratidão por pequenas coisas ou simplesmente por estar vivo. Repita alguma das meditações deste livro e afirmações com as quais tenha se identificado ao final dos capítulos. Isso vai contribuir para reduzir o seu IAI e levar a sua vida para outro nível.

Índice de Crenças Limitantes (ICL)

O Índice de Crenças Limitantes (ICL) tem uma relação direta com o Índice de Ausência Inconsciente (IAI). Quanto maior o ICL, a tendência é de que o IAI aumente. As crenças limitantes equivalem a um mundo imaginário que tira o seu poder pessoal e o faz ter a sensação de viver cercado de ameaças. No mundo das crenças limitantes, você faz concessões incessantemente para ser aceito, comparando-se a outras pessoas, reclamando da vida ou vitimizando-se, colocando-se em uma postura de inferioridade ou superioridade ou qualquer outro comportamento que o faz infeliz e rouba a sua energia vital.

São suas crenças dominantes que condicionam seu corpo a uma química que faz com que ele se torne a sua mente subconsciente e passe a comandar as atividades cerebrais. Elas também controlam a sua biologia e afetam a sua expressão genética, levando-o a fabricar sempre as mesmas proteínas. Se a crença tem um fator limitante, naturalmente as proteínas fabricadas vão refletir esse padrão e não terão boa qualidade, podendo estar associadas a algum tipo de doença crônica.

As doenças crônicas têm por base atitudes crônicas motivadas por crenças limitantes persistentes. Portanto, se você está determinado a trazer um novo significado a sua vida, é fundamental que comece a rastrear as suas crenças limitantes e a reduzir, o quanto antes, o seu ICL. As crenças limitantes equivalem a programações mentais que condicionam as células e o cérebro a um processo automatizado que limita o acesso ao seu potencial. Por outro lado, a boa notícia é que é sempre possível ativar novas programações que o empoderem e lhe proporcionem uma nova e saudável perspectiva na sua vida.

No entanto, a ciência tem mostrado que todo ser humano tem o potencial de se reinventar. O primeiro passo é estar motivado para a mudança. O segundo passo é investir em conhecimentos que contribuam para pensar fora da caixa. O terceiro passo é o foco e a energia para praticar e ativar no cérebro e nos receptores celulares um novo programa capaz de estruturar um novo eu, uma nova personalidade, saudável e proativa e, assim, manifestar uma nova realidade pessoal.

Esse é o caminho rumo ao salto quântico na mente. Não tenha pressa, vá no seu ritmo. O importante é tomar a decisão de seguir. Procure celebrar as conquistas, cada pequeno salto que consiga dar. Chegará um momento em que compreenderá que se trata de um caminho sem volta, e que a jornada se faz caminhando, aprendendo e evoluindo diante dos desafios diários.

Você não é qualquer pessoa. Você é um ser único e legítimo representante da inteligência cósmica. Reconheça e assuma o seu lugar de honra e desfrute de ser humano.

Índice de Presença Consciente (IPC)

O Índice de Presença Consciente (IPC) é inversamente proporcional ao Índice de Ausência Inconsciente (IAI). Então, quanto maior o seu IPC, menor será o seu IAI, o que significa que você viverá progressivamente em um estado de maior presença. À medida que nos acostumamos a viver mais no presente, damos um novo significado a nossa vida. Também teremos mais energia e vitalidade, pois diminuiremos o tempo com pensamentos inúteis rememorando experiências passadas ou preocupações que só roubam nossas energias, como já vimos. Viver no presente aumenta as possibilidades de sermos mais criativos e de acessarmos as potencialidades infinitas que o campo quântico, o Universo, Deus ou o nome que você queira dar, disponibiliza, a cada instante, para cada um de nós.

É nesse estado de presença que podemos nos conectar ao nosso propósito de vida, ocupar o nosso lugar de honra e desenvolver a habilidade de identificar crenças limitantes e os sabotadores internos que se manifestam obstruindo a nossa evolução, muitas vezes, através de crenças limitantes disparadas por pensamentos inúteis e autodestrutivos, que é o próximo índice que vamos comentar. Práticas como ioga, tai chi chuan, qigong, meditações, orações, respiração, entre outras práticas contemplativas, como já foi falado, têm inúmeros efeitos colaterais positivos. Um deles é potencializar o seu estado de presença e reduzir a ansiedade, que o leva a viver com a cabeça no futuro, fazendo conjecturas inúteis e gastando a sua energia vital. Praticar atividades físicas regulares também contribui para fortalecer o estado de presença e melhorar o humor e a criatividade em função da liberação de endorfinas. Quando qualificamos o nosso estado de presença, também passamos a operar em alta performance e a gerenciar melhor nossas emoções. É nesse estado que nossa energia criativa aumenta e podemos transformar o nosso trabalho em diversão, potencializando o que sabemos fazer e nos tornando mais abertos para novas possibilidades de aprendizados que contribuam para aperfeiçoarmos aquilo que fazemos.

Índice de Pensamentos Inúteis e Autodestrutivos (IPIA)

O Índice de Pensamentos Inúteis e Autodestrutivos (IPIA) está diretamente ligado ao seu estado de ser e à sua capacidade de conviver com as memórias negativas relativas às experiências vividas no passado. Ele também indica quanto os ambientes em que você vive podem afetá-lo.

Já falamos da "Síndrome da segunda-feira", que é o dia em que há uma maior tendência para que as pessoas sofram ataques cardíacos e até morram. Isso mostra a força que um ambiente tem de influenciar o seu humor. Via de regra, o estado de preocupação é desencadeado por um pensamento que lembra alguma experiência negativa e aí se inicia um processo sem fim, de conjecturas, simulações e expectativas que levam o corpo a reviver, emocionalmente, as situações lembradas. A questão principal é que o nosso cérebro é um grande simulador de experiências e, pela nossa história evolutiva, tem a tendência de simular as experiências negativas com o intuito de nos proteger.

Nesse processo de simulação, se você não está em um estado de presença e se já vive situações desafiadoras e estressantes, é comum embarcar na viagem proposta pelo simulador e entrar em um labirinto sem fim no qual um pensamento negativo leva a outro e o seu corpo se encarrega de trazer de volta todas as emoções aflitivas vividas pela situação simulada.

É assim que você cria o ambiente propício para que inúmeras doenças crônicas se instalem, já que o sistema imunológico vai baixar a guarda e os sistemas nervoso, endócrino e demais sistemas do corpo vão operar em baixa. Doenças como depressão e transtorno de ansiedade estão diretamente ligadas a como você gerencia o seu IPIA. Exercitar o estado de presença e a capacidade de observar seus próprios pensamentos e ressignificá-los, sempre que o convidarem para a simulação de uma experiência negativa ou a fazer elucubrações inúteis que lhe tragam preocupações e lhe roubem energia, equivale a instalar um poderoso antivírus que será sempre ativado para protegê-lo de padrões tóxicos e limitantes.

Índice de Dependência de Ser Feliz (IDSF)

O Índice de Dependência de Ser Feliz (IDSF) é um indicador do quanto você é dependente de fatores externos para ser feliz. Na cultura do consumo que predomina na nossa sociedade é muito comum as pessoas criarem a expectativa de ficarem mais felizes no momento de determinada conquista. Talvez seja comprar um carro de marca, ou um imóvel, fazer uma viagem, se casar, passar em um concurso, ou seja lá o que for.

Não há nada de errado em querer ter um carro de marca ou ter o imóvel dos seus sonhos, fazer aquela viagem ou passar naquele concurso para o qual você tanto se preparou. A questão está no nível de dependência que você desenvolveu com tudo isso. Dois caminhos são possíveis. Um é conseguir tudo o que planejou e, depois, com o passar do tempo, não se sentir mais tão feliz como esperava e continuar em busca de um novo carro, de uma nova casa, de uma nova viagem, de um novo emprego ou seja lá o que for para suprir a sua necessidade de ser feliz com base naquilo que tem ou que conquista exteriormente.

O que acontece é que, a cada conquista, os seus níveis de dopamina, que é o hormônio associado à sensação de recompensa, aumentam trazendo prazer e até momentos de euforia nos quais você simplesmente esquece de todos os desafios que pode ter interiormente. Com o passar do tempo, os níveis de dopamina caem, e tudo volta à estaca zero e você tende a trazer de volta o sentimento de insatisfação com a vida — o que faz com que crie uma nova meta a ser alcançada que lhe dê prazer novamente.

No entanto, todas as conquistas, por maiores que sejam, só podem trazer situações temporárias de prazer. Por outro lado, o seu mundo interior, associado aos seus medos, carências, inseguranças, complexo de inferioridade, prepotência, arrogância ou qualquer crença limitante ou dificuldade de se conectar ao seu propósito e ocupar o seu lugar de honra, convidam-no a ter uma nova atitude perante a vida. E isso requer uma nova convivência de você com você mesmo. A diminuição do seu IDSF está condicionada à sua capacidade de depender, cada vez menos, de fatores externos para ser feliz.

Outro fator externo que também influencia nesse índice é a dependência de aprovação e reconhecimento. Nem sempre as pessoas entenderão nossas motivações internas de transformar nossa vida. Por isso, ao tomar a decisão de fazer uma mudança efetiva na sua vida, procure fortalecer-se interiormente. Conecte-se à sua intuição, que é a voz do seu coração. Evite compartilhar as suas motivações com quem está em uma vibração completamente diferente da sua. A tendência é de que não reconheçam e, muitas vezes, não aprovem o que você está fazendo e isso pode ser uma ducha de água fria nas suas pretensões se você depende muito da aprovação e do reconhecimento dos outros para seguir em frente.

Tem uma passagem bíblica que reflete sobre compartilhar nossas pérolas interiores com quem não nos compreende e valoriza: "Não deis aos cães o que é santo, nem lancei ante os porcos as vossas pérolas, para que não as pisem com os pés e, voltando-se, vos dilacerem" (Mt.7:6). Por isso, evite dar suas pérolas, compartilhar seus tesouros internos, com quem você já sabe que não vai querer ouvi-lo. Evite buscar reconhecimento de quem não tem a sensibilidade para reconhecê-lo. Ter essa clareza faz com que não desperdice a sua energia em vão. A diminuição do IDSF está associada ao investimento em nós mesmos, em autoconhecimento, em ter a coragem de olhar para as nossas sombras e se dispor a investigar as causas e, assim, fortalecer o nosso mundo interior, cultivando valores elevados.

Índice de Sincronicidades Ativas (ISA)

O Índice de Sincronicidades Ativas (ISA) está associado às coincidências significativas que acontecem em nossa vida quando nos focamos em fazer algo e nos lançamos com determinação e paixão em busca de fazer acontecer. Esse índice revela quanto o Universo responde às nossas intenções. Ele está associado ao nosso estado de presença, entusiasmo, foco e confiança de realizar aquilo que projetamos.

É sempre bom se perguntar: será que estou dando o melhor de mim? Estou fazendo o melhor que posso? Quando desenvolvemos a autoconfiança naquilo que queremos realizar, o córtex frontal começa a orquestrar a mudança. Quanto mais forte for a nossa intenção, aliada a um sentimento elevado de que somos capazes, esse comando será registrado no nosso sistema nervoso autônomo e o nosso corpo começará a ser treinado emocionalmente a conviver com aquele estado desejado. É aí que nos tornamos uma antena eletromagnética que emite para o Universo a vibração do que queremos realizar em uma frequência específica.

Quanto maiores nosso foco, nossa confiança e nossa determinação, mais claro e forte será o nosso sinal. As sincronicidades são coincidências significativas que tenderão a acontecer. Elas equivalem a sinais de que você está no caminho certo e deve seguir em frente buscando aperfeiçoar o seu sinal, que equivale à sua intenção alinhada com o seu sentimento. Quanto mais o seu sentimento reverberar aquilo que você está pensando, maior será a sua convicção e mais claro será o seu sinal. É importante exercitar o desapego ao resultado e focar em fazer sempre o seu melhor. A preocupação com o resultado tende a gerar ansiedade, insegurança e traz o sentimento de escassez à tona, fazendo com que se desconecte do seu propósito e comece a atrair sincronicidades que reforçam um padrão de medo que faz com que você se distancie do resultado que quer obter.

Lembre-se de que o que está se manifestando na sua vida é uma resposta do Universo à sua vibração dominante. Fique atento às sincronicidades positivas e fortaleça-se interiormente trazendo clareza e foco para suas intenções.

No campo do medo só nascem ervas daninhas. No campo da escassez, o medo ergue a sua morada. No campo da confiança e da coragem, brotam o amor e a abundância. No campo do amor, a vida só dá bons frutos. Substitua o medo pelo amor.

Índice de Intercâmbio de Inteligência (III)

O Índice de Intercâmbio de Inteligência (III) indica quanto você interage e sofre influências de outras áreas que não sejam, necessariamente, aquelas em que já tem aptidões. O III também indica quanto você está investindo em ver a vida por outros ângulos. Esse intercâmbio contribui para expandir nossas lentes de percepção e aumentar a nossa resiliência, que é a capacidade de restaurar nosso estado de ser, nosso foco e nossa capacidade de tomar decisões diante das pressões proporcionadas pelos desafios cotidianos.

A Teoria das Múltiplas Inteligências foi desenvolvida em Harvard, na década de 1980, tendo como líder o psicólogo Howard Gardner, e ajudou a expandir o conceito usual de inteligência. Gardner foi além da abordagem da inteligência com base no tradicional teste de Q.I., que está diretamente ligado à capacidade de dominar o raciocínio lógico-matemático. Ele identificou nove tipos de inteligência, que são: intrapessoal, interpessoal, musical, natural, físico-cinestésica, existencial, espacial, linguística e lógico-matemática.

Gênios como Einstein e Mozart, por exemplo, tinham, respectivamente, uma grande inteligência lógico-matemática e musical. A teoria de Gardner mostra que o talento pode se manifestar em atividades específicas. Craques da bola como Pelé e Maradona demonstravam uma grande inteligência físico-cinestésica quando jogavam. Em alguns momentos, Maradona demonstrou uma baixa inteligência no nível interpessoal e intrapessoal, o que equivale à inteligência emocional, que está associada à capacidade de desenvolver o autoconhecimento e à capacidade de gerenciar as emoções para atingir metas.

O psicólogo e pesquisador de Harvard, Daniel Goleman, ficou mundialmente conhecido após lançar um livro em que investiga o conceito de Inteligência Emocional. Para Goleman, Inteligência Emocional é "a capacidade de identificar os nossos próprios sentimentos e os dos outros, de nos motivarmos e de gerir bem as emoções dentro de nós e nos nossos relacionamentos".[21]

Goleman associou a inteligência emocional a cinco habilidades que podem ser treinadas e desenvolvidas: autoconhecimento emocional, controle emocional, automotivação, reconhecimento das emoções nas outras pessoas e relacionamentos interpessoais. A psicóloga Ana Artigas inspirou-se no trabalho de Goleman e transformou a habilidade de relacionar-se bem na vida e nos negócios no que ela chama de Inteligência Relacional.

---

[21] Daniel Goleman e a Inteligência Emocional. *Sociedade Brasileira de Inteligência Emocional*, 04 fev. 2016. Disponível em: <http://www.sbie.com.br/blog/daniel-goleman-e-a-inteligencia-emocional/>.

Enquanto escrevia este capítulo, ministrei uma palestra em Juiz de Fora e encontrei o livro de Ana Artigas no aeroporto. Foi mais uma sincronicidade que veio agregar novas informações úteis ao conteúdo deste livro. Também vimos, com o efeito pigmalião, que quando temos grandes expectativas em relação a alguém, influenciamos o seu desempenho. No experimento feito pelos psicólogos Robert Rosenthal e Lenore Jacobson na Califórnia, que vimos no capítulo 2, observamos que o fato de os pesquisadores terem dito que 20% das crianças de uma escola de um bairro pobre eram superdotadas e tinham um Q.I. acima da média fez com que um ano depois essas mesmas crianças, que na verdade não eram superdotadas, apresentassem um Q.I. acima da média em relação às demais crianças.

Observe que quando temos expectativas, sejam positivas, sejam negativas, em relação a outra pessoa, também geramos um conteúdo emocional que influencia diretamente a qualidade de nossos relacionamentos. Por outro lado, novas habilidades podem ser aprendidas e desenvolvidas. Por isso, quanto mais você tiver intercâmbio com pessoas de áreas diferentes das suas, tenderá a desenvolver novas habilidades e ampliar a sua visão de mundo e potencializar aquilo em que já tem habilidade. Procure também conviver com pessoas otimistas que o inspirem a agir de forma positiva, criativa e proativa.

E, assim, divirta-se investindo em aprender novas habilidades e expandindo seu mundo interior. O seu cérebro agradecerá e você estará também se prevenindo do Alzheimer.

Foco — disciplina — treino — concentração

Eu fico imaginando que, no futuro, a partir dos novos conhecimentos da Neurociência, teremos academias não só para modelar o nosso corpo físico mas também para modelar e treinar o nosso cérebro. Independentemente do que você faça hoje, é muito possível que esteja subutilizando essa poderosa máquina que é o mediador entre as infinitas possibilidades que existem em estado de dormência, no campo quântico, e o mundo material que a manifesta a partir da nossa observação.

Já foi constatado que o cérebro não faz nenhuma diferença entre uma realidade vivida de fato ou imaginada. Ou seja, hoje você tanto pode fazer inúmeros treinamentos virtuais como também se imaginar fazendo uma cesta de basquete, cobrando uma falta ou um pênalti, jogando tênis, tocando um instrumento, ou seja lá o que quiser imaginar, e o seu cérebro vai ativar os circuitos neurais associados à sua imaginação, como se estivesse realmente praticando a atividade. Já existem inúmeras pesquisas científicas que mostram a plasticidade do nosso cérebro e como a nossa imaginação tem o poder de criar novas realidades, novos mundos.

O doutor Joe Dispenza, no seu livro *You are the placebo*, revela algumas pesquisas notáveis de como o cérebro não distingue entre o que você imagina e o que você realiza, de fato. Em um estudo feito em Harvard, os pesquisadores pediram a um grupo de pessoas que imaginassem estar tocando piano usando os cinco dedos em dada frequência, durante cinco dias. O exercício mental era praticado por um período de duas horas por dia. Após a experiência, os pesquisadores observaram que a região do cérebro associada ao controle do movimento dos dedos havia aumentado incrivelmente como se tivessem tocado piano realmente. Eles alteraram, fisicamente, o cérebro, instalando novos circuitos neurais e estabelecendo uma nova programação usando apenas a imaginação.[22]

Outra experiência foi realizada com 30 pessoas durante 12 semanas. Durante esse período, parte do grupo fez exercícios regulares com os dedos mindinhos, enquanto o segundo grupo apenas imaginou fazer os mesmos exercícios com os dedos mindinhos. Ao final do experimento, o grupo que havia feito os exercícios aumentou a força em 53%, e o segundo grupo, que apenas imaginou fazer os exercícios, aumentou em 35% a força nos dedos mindinhos. Observem que o

---

[22] Modulation of Muscle Responses Evoked by Transcranial Magnetic Stimulation During the Acquisition of New Fine Motor Skills. *Journal of Neurophysiology*, v. 74, n. 3, set. 1995. Disponível em: <https://pdfs.semanticscholar.org/d999/066e525c886019634c13ee45f35 2d68c091f.pdf>.

segundo grupo aumentou significativamente a força nos dedos sem ter feito qualquer exercício, apenas imaginando.

São inúmeras as experiências associadas à neuroplasticidade cerebral, as quais mostram a capacidade que todos temos de treinar o cérebro de modo a criar um novo hardware (novas redes neurais) e novos softwares (novas programações). A questão principal está associada a ter foco, disciplina e treino para que o cérebro possa se habituar a uma nova programação.

Vou concluir este capítulo com uma bela história de transformação. A pedagoga Cristiana Libânio mora em Pouso Alegre, no interior de Minas Gerais. Eu tive o prazer de visitar a sua cidade e conhecer, talvez, a primeira escola de implementação da Pedagogia quântica no Brasil. Lá, desde cedo, os pequeninos são iniciados na prática da meditação. Ela criou o que chama de Silêncio Especial, em que as crianças, diariamente, meditam e treinam a mente a educar o corpo emocionalmente. Logo ao entrar na escola, um garotinho olhou para mim e disparou: "Você conhece o elétron?". Eu sorri surpreso e disse que sim, que conhecia o elétron. Depois fui nas salas de aula e conheci a Sacola quântica com uma série de artefatos que induzem a criança a se conectar ao mundo das infinitas possibilidades. Segue o depoimento de Cristiana:

> Essa história era impossível acontecer... até que eu me apaixonei pela Física quântica. É incrível o que o Amor e a Consciência são capazes de fazer. Quando engravidei, pensei em melhorar-me como pessoa e ser a melhor mãe que aquele Ser, que eu já amava, poderia ter. Pensei também no mundo que meu filho encontraria ao nascer e tive uma grande vontade de melhorar esse mundo. E assim comecei a questionar internamente o que eu deveria fazer para ser quem eu queria ser e fazer o que eu queria fazer. A partir daí, começaram a surgir livros, pensamentos, entendimentos, propósitos, intuições e a Física quântica.
>
> Comecei a ler sobre a Mecânica quântica, sem entender muito e um pouco desconfiada daquelas "esquisitices quânticas", mas quando

li que, segundo essa nova ciência, vivemos em um mundo de infinitas possibilidades, fiquei bastante intrigada. Então, não sosseguei, enquanto não comprovei que esse mundo era verdade.

Um dia, em uma farmácia da minha cidade, Pouso Alegre, em Minas Gerais, peguei um flyer do II Simpósio de Saúde Quântica e Qualidade de Vida no Recife, e esse foi o passaporte para a transformação da minha Vida e do meu Ser.

Naquele simpósio me apaixonei pela Física quântica. Aprendi muito, entendi mais sobre o Universo, recebi respostas que eu buscava, construí um novo significado do que era a realidade e conheci uma pessoa que seria de grande importância para a minha Nova Vida Quântica: Wallace Lima.

Após o Simpósio, fiz o curso "Buscando transformação? Dê um salto quântico na Mente", do professor Wallace, que me trouxe mais compreensão sobre o mundo quântico, de maneira acessível e prática. Esse curso foi um lindo caminho para a expansão da minha consciência, que não parou mais de se expandir. Wallace é um professor transformador de vidas. Seu exemplo de propagar essa Sabedoria quântica é inspirador e reverbera como energia de empoderamento e Luz. Seus conhecimentos constroem pontes sobre o abismo da ignorância, para que as pessoas possam chegar à Consciência.

O resultado de tudo o que aprendi? Deixei de ser passiva e esperar o que a vida iria me trazer, desci da esteira rolante da existência, tornei-me ativa e cocriadora da minha realidade. Eu entendi como o Universo funciona e comecei a atrair para a minha vida tudo o que eu queria. Com os conhecimentos da nova Física eu mudei meu jeito de ser e de ver o mundo, que eu já compreendia ser um mundo de infinitas possibilidades. E infinitas não são muitas, ou milhares de possibilidades. São infinitas mesmo! Assim, empoderada de conhecimentos e habilidades quânticas, aconteceu meu salto quântico, a tomada de consciência de que eu era a autora da minha história. E comecei a escrevê-la.

Transformei a minha escola de Educação Infantil, Sítio Escola, na primeira Escola Quântica do Brasil (talvez a primeira do planeta), onde educadores, crianças e famílias aprendem e aplicam a Física quântica no cotidiano. Idealizei e criei uma nova Pedagogia: "Pedagogia Quantum", que é a aplicação da Física quântica na Educação, presente na escola desde o II Simpósio do Recife, em 2011. Nesse projeto, os pequeninos aprendem Física quântica através de brincadeiras, atividades quânticas, visualizações, meditações, experiências, histórias, músicas etc. As crianças desenvolvem noções sobre as energias e suas influências. De maneira lúdica, utilizando objetos da "Sacola quântica", a criança já consegue criar a sua realidade, como, por exemplo: no início da aula, ela usa o "espelho mágico" para dizer "coisas boas" que quer para o seu dia. As experimentações quânticas são registradas e são a base de comprovações do LPQ — Laboratório Pedagogia Quantum.

Publiquei dois livros infantis, para as crianças terem noções de Física quântica: *Curielo, o micróbio cientista* e o *Fio quântico dourado*. Estou escrevendo o meu livro sobre Pedagogia Quantum. Fiz Universidade Holística e abri meu espaço terapêutico, onde atuo como Terapeuta Holística Quântica. Fui uma das organizadoras de um evento quântico em Minas Gerais, com a presença do professor Wallace Lima. Realizo consultorias, escrevo artigos e publicações diversas, promovo cursos, palestras e workshops, levando a Ciência da Consciência aos pais e educadores. Aprendi que existe uma lei quântica universal que atrai sonhadores ao encontro dos seus sonhos e, quando isso acontece, sonhos se tornam realidade. Sonhadores dão vida aos seus sonhos, com consciência e uma maravilhosa energia: Amor. Meu amor pelo meu filho Christiam se expandiu para o Universo, assim como a minha consciência de que somos todos UM. Acredito que a Educação é um dos meios mais lindos e oportunos para transformar o mundo e é isso que estou manifestando, a cada conhecimento que compartilho com Amor.

É incrível o que o Amor e a Consciência são capazes de fazer!

Esse depoimento sensível e profundo mostra claramente a jornada de um ser humano rumo à transformação e revela a coragem de ir atrás do seu sonho motivada por um propósito maior: "Quando engravidei, pensei em melhorar-me como pessoa e ser a melhor mãe que aquele Ser, que eu já amava, poderia ter. Pensei também no mundo que meu filho encontraria ao nascer e tive uma grande vontade de melhorar esse mundo". Observe que, ao definir seu propósito, as sincronicidades começam a acontecer "a partir daí, começaram a surgir livros, pensamentos, entendimentos, propósitos, intuições e a Física quântica... Um dia, em uma farmácia da minha cidade, Pouso Alegre, em Minas Gerais, peguei um flyer do II Simpósio de Saúde Quântica e Qualidade de Vida no Recife, e esse foi o meu passaporte para a transformação da minha Vida e do meu Ser".

Eu mesmo pude testemunhar de perto que Cristiana está realizando o sonho de melhorar o mundo. Junto com Daniele Rolim, outra aluna que conhecemos no capítulo 1 e que também atua na área da Educação, realizou um belo evento quântico em Poços de Caldas e levou para a sala de aula o mundo de infinitas possibilidades que a Física quântica ensina. Cristiana intercambiou inteligências e, mesmo desconfiada diante das "esquisitices quânticas", ousou se abrir para as novas possibilidades que esse novo mundo a convidava a vivenciar.

A minha intenção com este livro é despertar em você também aquilo que de mais precioso você carrega: o seu potencial humano. E motivá-lo a acreditar que só a partir de você mesmo é que a vida poderá ter um novo significado. Invista em aumentar o seu Índice de Intercâmbio de Inteligências. Transforme-se em um cientista de si mesmo! Investigue-se! Confie!

Meditação para mudança de padrão negativo

Como vimos até aqui, nenhuma mudança será possível se você não consegue ter foco, disciplina, treino e concentração. Também vimos que o nosso cérebro é treinável e moldável. Da mesma forma, o nosso corpo também pode ser treinado emocionalmente. Você também pode, assim como fez Cristiana, tomar a decisão de ir atrás do seu sonho e realizá-lo. Para isso, é preciso que mantenha o foco naquilo que quer realizar e saiba como produzir, automaticamente, poderosos antivírus quando pensamentos, emoções e crenças limitantes quiserem sabotar o seu propósito.

Vou simplificar ainda mais a meditação para você usar sempre que sentir algum vírus emocional querendo tirar o seu foco, a sua energia.

1. Simplesmente, comece a respirar lenta e profundamente no baixo ventre. Possibilite que sua expiração seja um pouco mais demorada que sua inspiração. Respire no seu ritmo.
2. Imagine que está respirando através do coração e mantenha essa respiração lenta, tranquila e profunda por, pelo menos, dois minutos.
3. Enquanto respira, mentalize as seguintes palavras: harmonia, inteireza, equilíbrio, clareza e tranquilidade.
4. Mantenha-se nesse estado durante o tempo que quiser. O ideal é que fique pelo menos cinco minutos.
5. Ao acordar e ao dormir exercite mudar o padrão e pratique essa meditação até se sentir plenamente relaxado e tranquilo.
6. Seu sono passará a ter mais qualidade e seus dias também. Lembre-se de que é através de foco, treino, disciplina e concentração que poderá estruturar um novo hardware e um novo software no seu cérebro, bem como em cada célula do seu corpo, mudando a configuração de seus receptores celulares e produzindo novas proteínas, fortes e saudáveis.
7. Faça seu estoque pessoal de comandos usando a sua intuição. Enquanto mentaliza as palavras, abra-se para que a sua intuição possa sugerir novos comandos que podem ser agregados à sua meditação e fortalecer o seu arsenal de antivírus e empoderá-lo ainda mais.
8. Às vezes, quando medito, repetindo essa sequência básica de palavras, surgem outras como: alegria, confiança, serenidade, sabedoria, gratidão, compaixão, coragem... Deixe-se guiar pela intuição e talvez outras palavras de poder naturalmente sejam agregadas à sua meditação.

Afirmações

Lembre-se de que as afirmações devem ser feitas, de preferência, no estado de coerência cardíaca, após meditar. É nesse estado que você consegue estar no presente e aberto às novas possibilidades e à sua intuição.

1. Eu decido me abrir às infinitas possibilidades de ser feliz e viver uma vida com propósito.
2. Eu não sou apenas dono do meu nariz. Eu sou dono do meu corpo, do meu cérebro e do meu destino.
3. Eu treino diariamente meu cérebro e meu corpo para viver em um estado de tranquilidade, harmonia e de alta performance.
4. Faça chuva ou faça Sol, eu dou sempre o melhor de mim.
5. No jogo da vida eu sou sempre vencedor.

Capítulo 6

NUTRIÇÃO QUÂNTICA

> *Peregrine por dentro de você e descubra todas as ferramentas de que dispõe para ser feliz e viver de forma saudável. É chegada a hora de viajar para dentro de si e estabelecer um diálogo amoroso com cada célula, com cada bactéria, para descobrir as infinitas possibilidades de criar maravilhosos universos paralelos através de você. Recrie-se!*
>
> WALLACE LIMA

Pesquisa recente realizada pelo Ministério da Saúde no Brasil mostra que a obesidade cresceu 60% nos últimos dez anos.[23] Um em cada cinco brasileiros estão obesos e isso contribui para o aumento da incidência de doenças crônicas como o diabetes, cujo índice aumentou em 61,8% na última década, e a hipertensão arterial, que aumentou em 14,2% no mesmo período. No que diz respeito ao sobrepeso, 57,7% dos homens estão acima do peso e 50,5% das mulheres. O sobrepeso entre os homens teve um aumento de 10,2%, enquanto

[23] Obesidade cresceu 60% no Brasil nos últimos dez anos. *Veja*, 17 abr. 2017. Disponível em: <http://veja.abril.com.br/saude/obesidade-cresceu-60-no-brasil-nos-ultimos-dez-anos/>.

nas mulheres o aumento foi de 12%, nos últimos dez anos. Apenas 1 entre 3 brasileiros consumiram frutas e hortaliças durante cinco dias da semana, em 2016.

A baixa ingestão de frutas, hortaliças e demais alimentos vivos, que, além de nutrientes essenciais, têm também fibras, essenciais para uma boa digestão, é uma das principais causas de inúmeros problemas de saúde. A pesquisa mostrou ainda um discreto aumento de 1,8% no consumo de frutas e hortaliças nos últimos dez anos. Espero que, ao ler este livro, você possa contribuir para melhorar esses índices.

O consumo abusivo de bebida alcoólica aumentou de 15,7% para 19,1%, na última década. Haja vista o bombardeamento de propagandas de cerveja a qualquer hora do dia. A boa notícia é que o consumo regular de refrigerantes e sucos artificiais caiu de 30,9% para 16,5%, o que torcemos que seja uma tendência, pois são produtos alimentícios que estão entre os piores do mundo e deveriam ser banidos do mercado pelos inúmeros males que provocam à saúde das pessoas.

Outro dado positivo da pesquisa é que o índice de pessoas que praticam pelo menos uma hora e meia de exercícios por semana aumentou de 30,3% para 37,6%. Os jovens entre 18 e 24 anos são os que mais praticam exercícios no tempo livre.

Quando aliamos esses dados ao de outra pesquisa de 2014, do IBGE, em parceria com o Ministério da Saúde, que apontava que pelo menos 57,4 milhões de brasileiros possuem, pelo menos, um tipo de doença crônica não transmissível, e juntamos a outros dados que nos colocam como o país com o maior índice de pessoas com transtorno de ansiedade no mundo e o segundo em depressão, podemos dizer que vivemos em uma cultura de adoecimento em massa. E com a expectativa de que as doenças crônicas cresçam, em média, 5% ao ano, teremos, assim, em 20 anos, o dobro de pessoas doentes.[24]

---

[24] Pesquisa revela que 57,4 milhões de brasileiros têm doença crônica. *Portal Brasil*, 10 dez. 2014. Disponível em: <http://www.brasil.gov.br/saude/2014/12/pesquisa-revela-que-57-4-milhoes-de-brasileiros-tem-doenca-cronica>.

As causas são inúmeras. No entanto, desde 1910, quando foi lançado o Relatório Flexner, nos Estados Unidos, foi feita uma aliança entre a indústria farmacêutica emergente, as universidades e a classe política com o intuito de propagar um modelo biomédico baseado na identificação dos sintomas das doenças e a medicalização com remédios quimicamente fabricados pelas grandes corporações da indústria farmacêutica. Saiba que esses medicamentos sintéticos, por lei, não podem conter substâncias que fazem parte da natureza, o que transforma todo medicamento num agressor do corpo. Essa grande aliança entre os poderes econômico e político e com o aval científico das universidades, que mudaram seus currículos para se adaptarem a um modelo com foco na doença, em vez da saúde, perdura até hoje.

Os médicos saem da universidade sem nunca terem estudado os efeitos benéficos do limão para prevenir gripes e resfriados nem de qualquer outro alimento. Eles apenas estudaram sobre os sintomas de gripes e resfriados e medicamentos químicos para combater os seus sintomas e nunca para preveni-los. O currículo na área da saúde é desenhado para que quando as pessoas adoeçam nunca aprendam a evitar adoecer novamente no futuro. Por isso, o médico não pode ser ensinado sobre prevenção nem sobre as causas das doenças. O papel do médico passa a ser o de receitar os remédios que a indústria diz serem os melhores e, assim, ele se transforma, com a credibilidade que o diploma lhe confere, na força motriz dessa indústria, e possibilita que ela cresça cada vez mais, pois os remédios, além de não curar, também provocam mais adoecimentos através dos danosos efeitos colaterais que provocam, já que não é um produto da natureza e o corpo humano rejeita tudo o que é estranho ao seu convívio.

Mais adoecimento é sinal de mais medicamentos *ad infinitum* e a máquina projetada para manter as doenças, sem qualquer ação preventiva, se fortalece cada vez mais. Logo nos primeiros anos da faculdade, os alunos de Medicina ficam encantados com as benesses que a indústria farmacêutica lhes possibilita, através de inúmeras amostras grátis que recebem para levar para casa, felizes.

Eles conseguem, com isso, transformar a família em consumidores fiéis da indústria e contribuem para que os alunos se sintam mais importantes, mais valorizados e tenham a sensação de que socialmente passaram a ter um maior *status* por isso. Sentindo-se mais valorizados, eles passam a ser vendedores altamente qualificados de um modelo de adoecimento que criou uma das estratégias de vendas mais competentes e persuasivas do planeta.

A estratégia foi a de associar os medicamentos ao alívio da dor e do sofrimento, mesmo quando, na sua essência, por não prevenir doenças e promover a saúde, o que o modelo faz é manter as pessoas dependentes de um sofrimento perene. O diploma médico passou a ser um símbolo de autoridade e, mesmo com ninguém se curando de nada e as doenças só aumentando, as pessoas foram condicionadas a procurar o médico especializado em doenças porque acham que esse é o único caminho, mesmo sendo isso extremamente prejudicial para a saúde.

O condicionamento social mostra que, com a promessa de diminuir o sofrimento, é fácil se propagar mentiras através de paradigmas bem estruturados em estratégias de vendas quase perfeitas. Por outro lado, ao ser levado a não acreditar que a cura existe, o médico alopata encara o fato de que as pessoas dependem de medicamentos com normalidade, pois, inclusive, ele mesmo depende e é também comum que esteja até mais doente que os seus pacientes.

Em Pernambuco, um médico se suicida por mês, vítima de depressão, de acordo com o doutor Júlio Lins, médico que superou a depressão e hoje usa a meditação e outras práticas integrativas para prevenir essa doença e outras doenças crônicas nos seus pacientes.

Esse inteligente, eficaz e danoso modelo de adoecimento em massa tornou a indústria de medicamentos a segunda maior do mundo, perdendo apenas para a indústria armamentista. Isso mostra quanto esse modelo é eficaz enquanto uma estratégia de negócios e como é ineficaz no que diz respeito ao que deveria ser o seu maior propósito: cuidar da saúde das pessoas. Na verdade, na formação de um médico, pouco se fala sobre saúde. Nenhum momento da formação do médico é dedicado aos benefícios dos alimentos, de fato, na prevenção das doenças e promoção da saúde. O profissional, que deveria ser um grande *expert* na prevenção e em promover a saúde, é doutrinado a apenas entender as doenças e como remediá-las com medicamentos químicos.

A palavra "cura" simplesmente não pode ser pronunciada nas salas e nos corredores das universidades de "Saúde". No paradigma da doença, a cura simplesmente não existe. Os médicos passam a acreditar nisso e são as principais vítimas desse modelo que deu as costas para a saúde e transformou a cura em algo, aparentemente, impossível.

A expectativa de vida média dos médicos no Brasil e nos Estados Unidos é bem menor que a da população leiga. O que é um paradoxo. O médico não é um exemplo de saúde para seus pacientes. Isso se deve a uma formação precária em que o médico pouco entende, ou quase nada, do impacto do estilo de vida, do gerenciamento das emoções, da alimentação ou da espiritualidade na cura efetiva das doenças e que está levando a um questionamento mundial sobre a formação dos médicos. Cada dia aumenta o número de profissionais limitados no mercado, incapazes de compreender a complexidade da dimensão humana, pois em certo sentido foram transformados em vendedores de um modelo biomédico que perpetua as doenças e tem nos médicos as suas vítimas potenciais.

Um estudo feito em 2015, na Universidade da Califórnia, com 9.600 médicos americanos, revelou que 20% deles usaram drogas derivadas de ópio. O alcoolismo entre os médicos é tão grande, que foi criada uma versão dos alcoólicos anônimos só para essa categoria, o *International Doctors in Alcoholics Anonymous*, IDAA. O mais grave é que comumente esses médicos, dependentes de drogas, continuam atendendo nas UTIs e realizando cirurgias, segundo a matéria "A medicina doente", publicada na *Revista Super Interessante*, em 2016.[25]

Na matéria, o psiquiatra paulista e doutor em Medicina psicossomática Wilhelm Kenzler, afirma que "o interesse do Big Business

---

[25] A medicina doente. *SuperInteressante*, 31 out. 2016. Disponível em: <http://super.abril.com.br/ciencia/a-medicina-doente/>.

não é curar, mas manter as doenças sob controle dos remédios. O pesquisador passa a ser, praticamente, um colaborador do laboratório farmacêutico. E o médico, um de seus propagandistas".

Essa grande indústria investe bilhões de dólares que financiam as escolas e os centros de pesquisa, além de oferecer inúmeras mordomias aos médicos e pesquisadores, como viagens a congressos e estágios em outros países. O objetivo das pesquisas passa a ser validar novos produtos farmacêuticos para atingir um novo mercado, de acordo com a matéria. Observem que pesquisadores e médicos na prática são aliciados por um sistema descomprometido com a saúde em si e que os tornam vendedores ilustres dos seus produtos, que mantêm as pessoas eternamente doentes.

O modelo é realmente muito eficaz em promover uma cultura da doença. O médico sai da universidade sem praticamente saber sobre a influência do estilo de vida na saúde das pessoas. Por outro lado, faz uso de medicamentos que, além de não curar, também deixam o paciente mais doente devido aos efeitos colaterais, e mantêm um estilo de vida que o faz adoecer. A forma desumana como esse modelo evoluiu transformou o médico num profissional mal pago e influenciou diretamente o crescimento das universidades de Medicina, que buscam explorar o grande mercado de pessoas que sonham em ter médicos na família com base no *status* que a profissão proporciona e nem sempre aliado a um propósito de vida maior.

A matéria revela ainda que, em 2015, de 81 faculdades de Medicina avaliadas pelo MEC, mais de um terço recebeu conceito ruim ou péssimo. Esse é um dado muito preocupante e é uma repetição do que aconteceu com a proliferação das universidades de Direito no Brasil. O efeito dessa cultura desconectada de valores e que transformou a Medicina, uma das mais nobres profissões da humanidade, numa profissão desumanizada, está levando a que a intervenção médica seja o fator menos importante na longevidade das pessoas. Um estudo feito na Universidade de Stanford, com o objetivo de identificar os fatores determinantes que levam uma pessoa a viver mais de 65 anos, revelou que o estilo de vida lidera, disparado, com 53%. Em seguida, as condições ambientais com 20%, a herança genética com 17% e, por último, a assistência médica, com 10%. Essa pesquisa mostra quanto o currículo médico está desconectado da realidade. Orientar uma pessoa a ter um estilo de vida saudável é o que menos um médico aprende na universidade. Nem de si mesmo ele aprendeu a cuidar e, por isso, morre, em média, mais cedo que a população em geral, como vimos.

Por outro lado, quando o médico descobre a importância fundamental do estilo de vida, tende a ter foco no ser humano e não na doença. É quando ele sai de dentro da caixa. Todos os anos, tenho a oportunidade de interagir com grandes profissionais da Medicina, seja no Simpósio Internacional de Saúde Quântica e Qualidade de Vida, que é um evento presencial que organizo desde 2009, a cada dois anos, seja no Congresso On-line de Doenças Crônicas e Curas Naturais, que organizo desde 2014, com médicos e pesquisadores, entre eles os doutores Lair Ribeiro, Gabriel Cousens, Cícero Coimbra, Djalma Marques, Fernando Bignardi, Celerino Carriconde, só para citar alguns. Eles simplesmente aboliram os medicamentos químicos e são hoje profissionais que buscam a compreensão integral dos seres humanos e ajudam as pessoas a investigarem as verdadeiras causas das doenças e a se libertarem dos medicamentos, adotando um estilo de vida saudável capaz de prevenir as doenças e promover a saúde cotidianamente.

Recentemente, entrevistei o doutor Djalma Marques, um pesquisador reconhecido internacionalmente no campo dos probióticos, que me revelou que o papel do médico deve ser libertar as pessoas do uso dos medicamentos químicos e contribuir para que adotem um estilo de vida saudável. Ele está há 40 anos sem tomar medicamentos químicos. O doutor Celerino Carriconde está há 20 anos sem sequer fazer exames clínicos. Há unanimidade entre os médicos que saíram da caixa e buscaram ir além das fronteiras da alopatia de que os medicamentos químicos podem ser úteis numa emergência, num ataque bacteriano agudo, numa cirurgia, mas nunca devem ser usados com o intuito de curar e, mesmo nas emergências, devem ser usados pelo menor tempo possível para evitar a agressão ao corpo devido aos efeitos colaterais.

O Brasil é hoje o quinto país do mundo em consumo de medicamentos. A Fundação Oswaldo Cruz estima que 24 mil pessoas morrem, por ano, no país, devido à intoxicação por medicamentos. Estudo realizado pela Universidade Federal de Minas Gerais (UFMG) mostrou que a cada três minutos mais de duas pessoas morrem nos hospitais públicos e privados no Brasil por falhas que poderiam ser evitadas.[26] Em 2015, segundo a mesma pesquisa, os óbitos por falhas chegaram a 400 mil. Segundo a Organização Mundial da Saúde (OMS), quase 70 mil pessoas morrem por ano, no mundo, por overdose de medicamentos para aliviar a dor, os chamados opiácios, como a morfina, a heroína, ou analgésicos, como a oxicodona. Na prática, esses números devem ser bem maiores.[27]

Nos Estados Unidos, a própria Associação Médica Americana denuncia que, por ano, em média, 106 mil pessoas morrem devido aos efeitos colaterais de medicamentos. Em 2015, estima-se que 98 mil pessoas morreram nos Estados Unidos por erros médicos grosseiros. Mas segundo Janet Corrigan, Diretora de Serviços de Saúde do Instituto de Medicina (IOM), que é um órgão do próprio governo norte-americano, esse número deve ser muito maior. Ela acredita que o erro médico tende a ser ocultado.

É insano ir ao médico, apenas tomar medicamentos, com seus efeitos colaterais, continuar fazendo tudo o que sempre fez e querer se curar! Curar-se requer uma nova atitude. A coragem de escolher um novo caminho. A confiança de que a cura reside em nós mesmos e na natureza.

---

[26] A cada 3 minutos, mais de 2 pessoas morrem no Brasil em hospitais por falhas que poderiam ser evitadas. *R7*, 26 out. 2016. Disponível em: <http://noticias.r7.com/saude/a-cada-3-minutos-mais-de-2-pessoas-morrem-no-brasil-em-hospitais-por-falhas-que-poderiam-ser-evitadas-26102016>.

[27] Quase 70 mil pessoas morrem todos os anos por overdose de medicamentos com opiáceos, diz OMS. *ONUBR*, 04 nov. 2014. Disponível em: <https://nacoesunidas.org/quase-70-mil-pessoas-morrem-todos-os-anos-por-overdose-de-medicamentos-com-opiaceos-diz-oms/>

Faça do seu alimento o seu remédio

É do grego Hipócrates (século V a.C.), considerado o pai da Medicina, a frase: "Faça do alimento o seu remédio e faça do seu remédio o seu alimento". A abordagem de Hipócrates é do homem interconectado à natureza. De acordo com o pesquisador Dante Gallian, na matéria da revista *SuperInteressante*, "As raízes da Medicina hipocrática se assentavam na filosofia da natureza e seu sistema teórico partia de uma visão holística que entendia o homem como um ser dotado de espírito". O que aconteceu é que a fragmentação do conhecimento trazida pela visão cartesiana do mundo, aliada à visão materialista e mecanicista da Física newtoniana, fez com que a Medicina contemporânea, com base no modelo biomédico alopático, passasse a tratar o ser humano como uma máquina que, quando quebra uma peça, precisa apenas ser consertada ou trocada a peça. A dimensão mental, emocional e espiritual da existência e a interdependência entre essas dimensões ficaram em segundo plano.

A Ciência contemporânea reconhece que comumente a causa das doenças está nessas dimensões e é a forma como a pessoa lida com seus pensamentos, emoções e a sua conexão com a dimensão espiritual que determinam seu estilo de vida. Por isso, de nada adianta entupir as pessoas com medicamentos para aliviar sintomas se elas não são orientadas a investigar as verdadeiras causas do seu sofrimento, da sua dor.

O modelo biomédico atual percebeu esse filão e, de forma eficiente, condicionou as pessoas a acreditarem que precisam tomar medicamentos químicos para combater os sintomas das doenças, sem abrir para a possibilidade de outro caminho.

Às vezes, penso como os paradigmas são estabelecidos e como o ser humano é suscetível a agir como um cego que guia outros cegos. O profissional de saúde exclusivamente alopata, muitas vezes, é mais ou menos isso: um cego guiando cegos. O condicionamento social é brutal. É comum as pessoas irem ao médico e exigirem exames e ficarem satisfeitas apenas quando saem do consultório com uma receita para comprar diversos medicamentos.

Eu mesmo passei parte da minha vida dependendo dos medicamentos. Esse comportamento é comumente herdado dos pais e do ambiente predominante em que a pessoa vive. O doutor Wilhelm Kenzler revela que cerca de 85% dos exames pedidos pelos médicos apresentam resultados negativos e que mais de 90% dos diagnósticos são associadas às siglas NDN (nada digno de nota) ou DND (distúrbio neurovegetativo, que equivale à crise nervosa).

No entanto, a maioria dos pacientes, que na verdade precisam de orientação sobre mudança de estilo de vida e de suporte emocional, costuma voltar para casa sempre com receitas para comprar medicamentos que vão comprometer a sua saúde com os efeitos colaterais e que são, na maioria das vezes, dispensáveis.

Há uma necessidade urgente de revisão dos currículos médicos em que o foco passe a ser a saúde e não a doença. Há uma movimentação mundial no sentido de questionar o modelo com base na manutenção das doenças e a reconexão com as medicinas ancestrais que têm como base o cuidado integral com o ser humano, como a Medicina Tradicional Chinesa, a Medicina Ayurvédica da Índia, a Medicina Tibetana, bem como as medicinas Antroposófica e Homeopática, só para citar algumas possibilidades.

A mudança do estilo de vida associada ao reconhecimento da necessidade de substituição dos alimentos com agrotóxicos por alimentos orgânicos, bem como a substituição dos produtos alimentícios industrializados por alimentos de verdade, faz parte de uma atitude concreta e eficaz para se prevenir de um grande número de doenças e de promover a sua saúde no dia a dia.

Atualmente, cerca de 200 hospitais norte-americanos já utilizam terapias não alopáticas no acompanhamento de seus pacientes. Grandes centros de pesquisas, como Harvard, Stanford e Columbia, nos Estados Unidos, têm departamentos exclusivos para pesquisa de práticas integrativas baseadas na Medicina oriental, com uma abordagem integral, holística, do ser humano.

Aqui no Brasil, o Sistema Único de Saúde (SUS) já aprovou inúmeras terapias integrativas e complementares, e grandes hospitais de

São Paulo e grandes universidades como USP, Unicamp, Unifesp e UNB possuem linhas de pesquisas importantes nessa área da medicina preventiva e promotora da saúde. No IV Simpósio Internacional de Saúde Quântica, que realizei em Brasília, em 2015, após uma palestra na Câmara dos Deputados, integrantes do Ministério da Saúde, do Núcleo das Práticas Integrativas, me procuraram e fizemos uma parceria para lançarmos um movimento nacional a favor de uma nova cultura em saúde no Brasil.

A partir dessa iniciativa, foi criada uma página no Facebook: (facebook.com/porumanovaculturadesaúde) na qual você pode acompanhar as publicações referentes às Práticas Integrativas e Complementares (PICs) no Brasil e no mundo e saber se em sua cidade o SUS já atende com as PICs, bem como conhecer dicas de saúde. Na ocasião, fiz um webinário ao vivo com o Daniel Amado, consultor técnico do Ministério da Saúde do Departamento de Atenção Básica (DAB) do núcleo das práticas integrativas, para divulgar essa iniciativa e explicar às pessoas o que são as práticas integrativas e complementares e como funciona no SUS. Você pode ver a entrevista na íntegra neste link: <https://www.youtube.com/watch?v=kO-Tkc4TDyw>.

No decorrer do Simpósio em Brasília, também lançamos o manifesto "Por uma nova cultura em saúde no Brasil", que contou com a presença de quase 2 mil pessoas. O documento foi redigido por mim, minha esposa, a terapeuta holística Jeanne Duarte, integrantes da Coordenação das PICs do Ministério da Saúde e palestrantes do simpósio, com destaque para o doutor Adalberto Barreto, que deu contribuições importantes. Posteriormente, fizemos uma campanha na AVAAZ com o título "Por uma nova cultura em saúde" a fim de divulgar o manifesto. Dessa forma, contribuímos para que as pessoas que acompanham o nosso trabalho possam ver a doença como uma oportunidade.

Quando você está condicionado a certo hábito de vida deixa de perceber que há a possibilidade de tudo acontecer de uma forma completamente diferente do que você faz hoje. Reinvente-se!

A doença como oportunidade

Tudo o que lhe passei até agora teve o objetivo de atualizá-lo sobre uma nova cultura em saúde e de empoderá-lo para uma releitura do papel das doenças na sua vida. Com a conclusão do projeto Genoma, a ciência chegou à conclusão de que temos pouco mais de 23 mil genes e que, geneticamente, apenas 0,6% de nossos genes são diferentes dos genes dos chimpanzés. O resultado foi decepcionante, pois os cientistas acreditavam que devíamos ter em torno de 140 mil genes. Temos menos genes que algumas variedades de arroz, que chegam a ter 53 mil genes.

Foi quando surgiu a necessidade de se criar um novo projeto, o do Microbioma Humano, para mapear os micróbios que habitam nosso corpo e entender melhor como funcionamos. As pesquisas recentes sobre o Microbioma Humano revelam que nosso corpo equivale a um complexo ecossistema no qual vivem trilhões de células microbianas dentro e fora dele.

A nossa Microbiota Intestinal, ou flora intestinal, abriga em torno de 2 mil diferentes tipos de bactérias que desempenham funções vitais para nosso organismo, o que equivale entre 1,4 quilos a 1,6 quilos de bactérias apenas nos intestinos, que influenciam o nosso estado de saúde ou de doença. A lógica de que os micróbios são nossos inimigos caiu por terra porque esses pequenos seres, invisíveis aos nossos olhos, desempenham papéis vitais na nossa existência. Eles são fundamentais na digestão dos alimentos, para o nosso sistema imunológico, e influenciam até o nosso comportamento.

Esses pequenos seres inteligentes dominaram sozinhos o nosso planeta durante os 2,5 bilhões de anos em que a vida germinou na Terra e deram origem aos seres multicelulares, posteriormente, através de complexos e inteligentes processos cooperativos, e estão por trás da avançada tecnologia que rege o corpo humano. Em áreas do corpo como boca, orelhas, olhos, pele, genitais, virilhas e, sobretudo, intestinos, essas criaturinhas criaram as condições adequadas para sua sobrevivência, enquanto também colaboram com a nossa sobrevivência.

Com o mapeamento genético do nosso microbioma, os cientistas concluíram que, além de termos dez vezes mais bactérias do que células no corpo, em termos genéticos, os genes dos micróbios que nos habitam, cuja maioria são bactérias, equivalem a 99%, pelo menos, da nossa genética. Ou seja, geneticamente, somos 99% micróbios.

Em termos de quantidade de células, somos 90% micróbios. O projeto Microbioma Humano promete mudar as bases da Medicina atual, que cultiva os micróbios como inimigos ferrenhos, e transformá-los nos nossos maiores parceiros em prol de uma vida longa e saudável. Tudo leva a crer que nosso corpo é uma das moradas prediletas dos micróbios. Quando estamos saudáveis, o nosso terreno biológico se fortalece e eles operam a todo vapor, respondendo por funções vitais e se fartando com os alimentos que proporcionamos para eles. Assim, vivemos em equilíbrio, em homeostase, livres das doenças. Quando as coisas não vão bem e passamos a nos alimentar mal ou sermos tomados por problemas emocionais ou de qualquer ordem, o nosso terreno biológico se enfraquece e os micróbios podem nos atacar para denunciar a nossa falta de cuidado com nós mesmos.

Diga-me os micróbios que habitam em você e direi quem você é

Quando comparamos dois seres com base no DNA, eles são 99,99% idênticos. No entanto, quando comparamos os micro-organismos que habitam os seus intestinos, a semelhança fica na casa dos 10%. Estudos recentes patrocinados pelos institutos nacionais de saúde dos Estados Unidos mostram que a diferença entre os micróbios que cada um carrega nos intestinos, na maioria, bactérias, está por trás das diferenças que existem entre os seres humanos no que diz respeito a peso, obesidade, ansiedade, alergias, entre outras. Essas pesquisas ainda estão no início, mas os resultados já são assombrosos.

Então saiba que essas criaturinhas inteligentes e essenciais à vida habitam cada parte do seu corpo e desempenham funções vitais. Sem as bactérias na sua pele, ela se encheria de mofo e os fungos tomariam conta de você. No seu nariz ou no seu pulmão, na sua boca ou no seu estômago e genitais, as bactérias trabalham pela sua sobrevivência. No entanto, os micróbios têm um papel que considero realmente extraordinário.

Quando você não cuida bem de si, não zela pelo seu corpo, por meio de comidas ou bebidas de baixa qualidade, ou seja, quando nutre pensamentos negativos, assiste diariamente noticiários negativos, faz fofocas, intrigas, critica os outros, vitimiza-se ou reclama da vida, mentindo para si ou para os outros, você vai atrair toxinas para o seu corpo. O seu terreno biológico vai se fragilizar como uma terra que é tratada sempre com agrotóxicos e se deteriora, e os frutos e sementes plantados nela começam a adoecer.

O sangue do seu corpo, que em condições saudáveis é alcalino, começará a ficar ácido, convidando as bactérias que antes não lhe faziam mal a o atacarem, provocando doenças. Observe que, em última instância, o que a bactéria que o agride está fazendo é denunciar que a forma como você está cuidando de si abre a guarda para que ela possa atacá-lo. O mesmo acontece com os vírus e demais micro-organismos.

Uma pessoa saudável pode ter o vírus da gripe inoculado nas fossas nasais e não contrair gripe. Bactérias nocivas como o *Staphylococcus aureus* podem ser encontradas na pele e nos intestinos de uma pessoa saudável sem causar danos. No entanto, se a pessoa baixa a guarda, ele está ali para criar algum tipo de complicação oportunizando que você cuide melhor de si.

Quando, em vez de entender o recado da doença, você apenas vai ao médico alopata, toma antibióticos e continua com o mesmo estilo de vida, pode adoecer novamente e entrar num ciclo de adoecimento sem fim. Assim, passará o resto da vida dependendo de medicamentos e enriquecendo a indústria farmacêutica, enquanto fica com a saúde cada vez mais pobre e transforma o seu corpo num campo de batalha permanente.

Infelizmente, é assim que uma parcela cada vez maior da população vive no Brasil e na maior parte do mundo. Felizmente, os novos conhecimentos científicos e as recentes descobertas sobre o Genoma e o Microbioma Humano estão nos possibilitando acessar o campo das infinitas possibilidades e dar um novo significado a nossa vida, entendendo que os micróbios não são nossos inimigos e, mesmo quando nos atacam, possibilitam-nos que olhemos para nós mesmos em todas as dimensões e exercitemos o cuidado com a nossa saúde física, mental, emocional e espiritual.

Por um momento, ao escrever este capítulo, comecei a refletir sobre o meu corpo como uma grande morada para esses minúsculos seres representantes de uma inteligência superior, que 24 horas por dia criam as condições para que eu prospere e me torne um ser humano cada vez melhor, mais saudável e mais feliz.

A pesquisa recente sobre transplante de fezes mostra que as fezes de um indivíduo de estilo de vida saudável pode ser transplantada, através de técnicas adequadas, para o intestino de outra pessoa com algum problema específico de saúde. Na prática, o indivíduo saudável, em função do seu estilo de vida, desenvolveu uma microbiota extremamente saudável que atua nos intestinos prevenindo a pessoa de doenças e capaz de combater as bactérias nocivas do intestino de uma pessoa doente, quando o transplante é feito. Um estudo holandês publicado na revista científica *The New England Journal of Medicine* mostrou a eficácia do transplante de fezes no combate a uma bactéria chamada *Clostridium difficile*, que é muito resistente a antibióticos e provoca diarreias, vômitos e febre. Segundo o Jornal *The New York Times*, 300 mil americanos adoecem, por ano, devido a *Clostridium difficile* e 14 mil morrem anualmente. Acredita-se que o número de mortes já chegue aos 30 mil.[28]

As bactérias estão ficando cada vez mais resistentes aos antibióticos da indústria farmacêutica e os custos com os tratamentos já atingiam, em 2013, 2 bilhões de reais por ano. Segundo o *The New York Times*, a americana Melissa Cabral curou-se da bactéria em apenas um dia após ter feito o transplante de fezes.[29] Ela havia contraído a bactéria

---

[28] AIRES, Elaine. Para que serve o transplante de fezes e como é feito. *Tua Saúde*, jul. 2017. Disponível em: <https://www.tuasaude.com/transplante-de-fezes-para-colite/>.

[29] D'ALAMA, Luana. Transplante de fezes é usado para tratar infecção intestinal. *G1*, 18 jan. 2013. Disponível em: <http://g1.globo.com/bemestar/noticia/2013/01/transplante-de-fezes-e-usado-para-tratar-infeccao-intestinal.html>.

após tomar um antibiótico para tratamento dentário e havia perdido 12 quilos e seis meses de trabalho, após sucessivas crises de diarreia, vômito e febre. Inicialmente, ela evitou fazer o transplante por nojo, mas depois de muito sofrimento aceitou e, um dia depois, estava curada. O abuso do antibiótico está por trás dessa e de outras doenças. Eles destroem a nossa microbiota intestinal, que são as bactérias que nos protegem dia e noite, abrindo espaço para que bactérias oportunistas, como a *Clostridium difficile*, apareçam denunciando a fragilidade do nosso terreno biológico através de doenças como a colite.

No Brasil, o doutor Arnaldo José Gang soube do trabalho realizado na Holanda e fez o primeiro transplante de fezes, em 2013, no Hospital Albert Einstein, em São Paulo. Ele fez o transplante num paciente que tinha a bactéria e há três meses vivia internado com crises de diarreia, indo em média 20 vezes ao banheiro por dia. Ele usou as fezes de dois filhos do paciente, após análise. Nos dois dias seguintes teve apenas uma pequena diarreia, o que é normal, e no terceiro dia já estava curado.[30]

Hoje, o transplante é feito por endoscopia ou colonoscopia após diluição de 50 gramas de fezes em água. Nos Estados Unidos já se usa também cápsulas. Na verdade, o nome mais correto deveria ser transplante de bactérias, já que serão as bactérias que habitam um intestino saudável que serão transplantadas. As fezes são apenas o meio onde elas estão.

Os resultados extraordinários que vêm sendo obtidos através de pesquisas estão ajudando a medicina e a ciência a se reconciliarem com a nossa origem microbiana. Em vez de usarmos os antibióticos (antivida), passaremos a usar os probióticos (pró-vida), possibilitando ao nosso corpo se autocurar através da sua inteligência inata desenvolvida através de bilhões de anos de evolução.

Hoje, pelo menos seis doenças já estão sendo tratadas com o transplante de fezes: a colite pseudomembranosa, provocada pela *Clostridium difficile*, doenças inflamatórias intestinais como a doença de Crohn e

---

[30] Mais informações sobre o transplante de fezes no Brasil no vídeo disponível em: <https://www.youtube.com/watch?v=JZofDAf8jWs>.

Retocolite ulcerativa, Síndrome do Intestino Irritável, obesidade e outras alterações do metabolismo, autismo e doenças neurológicas, como esclerose múltipla, distonia miociônica e mal de Parkinson.

É bom lembrar que são as dietas ricas em açúcar, gorduras ruins e carboidratos simples que comprometem a nossa microbiota intestinal e nos deixam suscetíveis às doenças associadas aos produtos alimentícios industrializados e alimentos com agrotóxicos. Se você quer ter a companhia dos micróbios do bem, aumente o número de fibras na sua alimentação, introduzindo mais frutas e verduras orgânicas e alimentos de verdade.

Cuidado com o leite

O leite industrializado é um alimento morto e se aproxima mais de um aglomerado de produtos químicos. Rouba cálcio dos ossos e por isso provoca osteoporose. É um alimento inflamatório e está por trás de inúmeras alergias e doenças do Sistema Respiratório. O doutor Hiromi Shinya, um dos mais respeitados gastroenterologistas do mundo, explica, com profundo embasamento científico, no seu livro *A dieta do futuro* (Cultrix, 2010), por que o leite vendido hoje nos supermercados é o pior alimento do mundo e inadequado para seres humanos.

Ele alerta que não há alimento de digestão tão difícil como o leite. A caseína, que responde por cerca de 80% da proteína do leite, coagula assim que chega ao estômago, tornando a digestão muito difícil. Ele também mostra que o processo de homogeneização da gordura suspensa é feita mexendo o leite, o que faz que essa gordura em contato com o ar transforme-se numa gordura em estado avançado de oxidação. Isso significa que o leite homogeneizado oxidado produz radicais livres que provocam inúmeros danos a nossa saúde.

Depois da homogeneização, o leite passa pelo processo de pasteurização, que eleva sua temperatura acima dos 100 graus Celsius, eliminando as preciosas enzimas do leite que são destruídas a partir de 93 graus Celsius. Assim, o leite é um produto desencadeador de radicais livres no organismo e, com suas proteínas alteradas pelas altas temperaturas, torna-se um péssimo alimento.

O doutor Shinya revela que se um bezerro deixar de mamar na mãe e passar a ser alimentado com o leite vendido no mercado, morreria entre quatro e cinco dias. Além disso, devido ao grande número de substâncias gordurosas oxidadas, o leite agride o ambiente intestinal, aumentando o número de bactérias ruins e provocando desequilíbrio da microbiota intestinal. Com isso, além dos radicais livres, outras substâncias tóxicas, como amônia e sulfetos de hidrogênio, também passam a ser produzidas no intestino. Já existem trabalhos científicos, de acordo com o doutor Shinya, que associam o consumo de leite a alergias e a diabetes em crianças.

A minha neta Elis tem intolerância a glúten, lactose e proteína do leite. Eu incentivei a minha filha mais velha, Ana Marta, a desenvolver produtos orgânicos, sem glúten e derivados do leite. Hoje ela tem a empresa Élivre, que produz doces e salgados de alta qualidade, mostrando que é possível produzir alimentos deliciosos e saudáveis usando leites vegetais, óleo de coco, biomassa de banana verde e outros produtos naturais nutritivos e saborosos. Essa é uma tendência no mercado mundial e a busca por alimentação saudável de qualidade e serviços é um dos setores que mais crescem atualmente no mundo inteiro.

A Harvard School of Public Health, após inúmeras pesquisas, retirou os laticínios da pirâmide alimentar por considerá-los de alto risco para a saúde, em função da gordura saturada com grande potencial de produção de radicais livres e dos inúmeros componentes químicos que possibilitam que fiquem meses nas prateleiras dos supermercados sem se deteriorar. Há estudos científicos que relacionam o consumo do leite com o câncer de próstata e de mama, bem como alterações hormonais em crianças e adolescentes.

Cuidado com a carne vermelha

Pela primeira vez na história, o principal escritório de pesquisa sobre o câncer da Organização Mundial da Saúde (OMS) divulgou o resultado de um grupo de trabalho de 22 especialistas de dez países reunidos pela Agência Internacional para a Pesquisa sobre o Câncer (IARC). A conclusão é de que o consumo de carnes processadas como linguiça, bacon, presunto, salsichas e molhos à base de carne provoca câncer, enquanto as carnes vermelhas, como a carne de boi, porco e cordeiro, são, provavelmente, alimentos cancerígenos para nós humanos.

O doutor Hiromi Shynya no seu livro *A dieta do futuro* associa diretamente o câncer colorretal ao consumo de carnes, laticínios e demais produtos de origem animal. Segundo a OMS, o consumo regular de 50 gramas de carne processada por dia aumenta em 18% o risco de câncer colorretal. No caso do consumo regular de carne vermelha, houve associação com o câncer colorretal, câncer de próstata e câncer de pâncreas.

Portanto, se você é um carnívoro inveterado, o bom senso indica que reduza, no mínimo, o consumo de carnes vermelhas e de carnes processadas e aumente o consumo de alimentos com fibras, como frutas e verduras. A sua microbiota intestinal vai adorar e possivelmente essa decisão influenciará no seu humor, na sua saúde e longevidade. Além disso, o alto consumo de carne vem contribuindo para a devastação das florestas e impactando a camada de ozônio em função da grande quantidade de gases liberados pelos animais. Por isso, a redução do consumo de carne vermelha também contribui com o meio ambiente. Segundo o doutor Hiromi Shinya a melhor carne é a dos peixes. O óleo do peixe reduz o colesterol ruim. No entanto, ao consumir peixes, procure certificar-se de que são peixes selvagens ou criados em cativeiros. Os peixes criados em fazendas estão se alimentando de produtos industrializados como rações, que são também dadas para gatos e cachorros, como já falamos. A maioria dessas rações contém produtos transgênicos.

Na Califórnia, os supermercados são obrigados a dizer se o peixe é selvagem ou de cativeiro. Da mesma forma, os frangos industrializados são submetidos a altas doses de antibióticos e 98% da ração que eles comem é alimento processado e na maioria transgênico e, assim como os peixes criados em cativeiro, devem ser evitados também.

Cuidado com o glúten

Todo o processo de industrialização, que envolve desde a aplicação dos defensivos agrícolas à aplicação de hormônios e antibióticos nos animais, bem como a adição artificial de corantes, conservantes, acidulantes, aromatizantes, entre outros aditivos que melhoram a aparência, consistência e conservação dos produtos, faz com que consumamos produtos alimentícios que contêm pequenas doses de toxinas. Essas toxinas são venenos que, no decorrer da vida, geram oxidação, inflamação, desordem na microbiota intestinal e, mais cedo ou mais tarde, levam a adoecer, e o corpo começa a denunciar os maus-tratos.

O melhoramento genético dos alimentos que se transformarão em rações para os animais, e que também são consumidos diretamente pelas pessoas, passou a ser feito sem saber das reais consequências para o consumo dos seres humanos. Hoje, sabe-se que os alimentos transgênicos, modificados geneticamente, alteram os genes de bactérias saudáveis e causam reações alérgicas, aumentam a resistência a antibióticos e provocam câncer.

De acordo com a pesquisa publicada em 2012 pela revista *Food and Chemical Toxicology*, camundongos alimentados com produtos transgênicos sofrem de câncer com mais frequência e morrem antes que os demais. O que aconteceu com o trigo é que, devido aos melhoramentos genéticos feitos nos últimos 50 anos, uma das suas proteínas, o glúten, também presente no centeio e na cevada, aumentou em 400% a sua concentração.[31]

No livro *Barriga de trigo* (WMF Martins Fontes, 2015), o doutor William Davis detalha como o glúten consumido, principalmente no trigo, transformou-se num alimento inflamatório e prejudicial a nossa saúde. Ele mostra que o trigo possui substâncias viciantes similares a opioides como cocaína e morfina e, por isso, provoca sensações de prazer e gera vício e dependência. Ele revela

---

[31] O Perigo dos Alimentos Transgênicos. *De bem com a balança*, 24 set. Disponível em: <http://www.debemcomabalanca.com.br/blog/o-perigo-dos-alimentos-transgenicos>.

também a relação da obesidade com o trigo e alerta que os produtos integrais, à base de trigo, possuem ainda mais glúten e, por isso, devem ser evitados.

O doutor William também alerta que alguns alimentos que trazem o rótulo "sem glúten" muitas vezes são feitos à base de amido de milho, amido de arroz, fécula de batata e fécula de tapioca, que aumentam ainda mais o nível de glicose no sangue e, por isso, contribuem mais com a epidemia de obesidade que há, principalmente, no Brasil e nos Estados Unidos.

Ele ainda mostra a relação de doenças como diabetes, doenças cardiovasculares e problemas de pele com o trigo. Numa entrevista que fiz para o I Congresso de Doenças Crônicas e Curas Naturais, a doutora Rosângela Arnt explicou em detalhes como o glúten está associado também ao desenvolvimento de doenças autoimunes que afetam órgãos como a tireoide e as articulações.

A conclusão a que chego é de que a natureza está o tempo todo nos convidando a observar a incrível tecnologia que foi desenvolvida durante bilhões de anos para que a vida se estabelecesse em toda a sua complexidade e diversidade no nosso planeta. Quando a ciência insiste em se distanciar do aprendizado que a natureza está a nos proporcionar, é comum que nos desconectemos dessa fonte sábia e inteligente e comecemos a adoecer.

A descoberta da importância dos micróbios na evolução da vida do nosso planeta e, particularmente, do ser humano, convida-nos a fazer o caminho de volta para casa. Da mesma forma que um terreno empobrecido pelo veneno dos defensivos agrícolas e adubos artificiais pode voltar a se transformar numa bela floresta ao cuidarmos bem da terra com adubos orgânicos cheios de micróbios inteligentes e regeneradores do solo, também podemos enriquecer a nossa microbiota intestinal com uma alimentação rica em fibras, germinados e probióticos, e tudo o que seja alimento verdadeiramente saudável, e não produtos alimentícios industrializados.

Pare de se comparar

Apenas faça o seu melhor. Pare de se preocupar com quem faz mais ou menos que você. Quando fazemos o nosso melhor convidamos a nossa integridade interior para nos guiar e atraímos para a nossa vida as melhores oportunidades de sermos felizes e realizados. Melhore-se!

O convite deste livro é para que você procure fazer sempre o seu melhor. Cientificamente, está comprovado que a comparação é inútil, principalmente quando você se coloca no campo da inferioridade, o que pode desencadear algum tipo de sentimento de inveja. Quando identificar que alguém faz algo melhor do que você ou faz algo completamente diferente do que o que faz, saiba que também é capaz. Resta saber se o que o outro faz é o que pulsa no seu coração também. Se for, busque aprender com o exemplo do outro. Busque modelar quem faz bem feito, como aprendemos na Programação Neurolinguística (PNL). Se não for, exercite elogiar, aplaudir, reconhecer. Haja com o outro sempre da forma que você gostaria que agissem com você. Assim, você plantará boas sementes para colher os bons frutos no futuro.

A inveja é um bloqueador da sua prosperidade. É um entrave no seu processo evolutivo. Do ponto de vista quântico, tudo no Universo é energia e tudo aquilo com que interagimos se transforma em nutrição para o nosso corpo. Por isso, além do cuidado com a comida que coloca no seu prato, busque também qualificar os filmes a que assiste e os programas que vê na TV.

Existem boas programações nas TVs fechadas que podem, eventualmente, ser um bom passatempo. Procure dar boas risadas vendo bons filmes de comédia. Certo dia, pedi a orientação na livraria de um aeroporto sobre livros de piadas. Comprei um bom livro e durante a viagem sempre lia umas piadas de bom gosto antes de dormir e percebia como isso me deixava mais relaxado e tornava meu sono mais leve.

Como sou apaixonado por jazz, blues e música erudita, às vezes procuro vídeos no YouTube de grandes músicos e me deleito ouvindo-

-os. Também adoro dança e costumo procurar vídeos de grandes dançarinos e dançarinas de estilos variados e me deleito observando como esses profissionais, que são apaixonados pelo que fazem, trabalham em alta performance buscando sempre dar o melhor de si.

É sempre muito inspirador para mim ver alguém fazendo o seu melhor. As pessoas naturalmente entram no fluxo e se transformam naquilo que fazem com amor. A vida passa a ter um significado, um propósito. É isso que desejo para você. Como tudo é energia e tudo é alimento no nível quântico, busque também qualificar suas companhias, no mundo interior e no mundo exterior. Busque companhias agradáveis, inteligentes, divertidas, instigantes. Um bom bate-papo com pessoas de que gostamos eleva o nosso nível de oxitocina para as alturas. A oxitocina é um relaxante natural. Com a oxitocina no corpo operamos na frequência do amor. Exercite cuidar cada vez melhor de você, tomando conta dos trilhões de parceiros e amigos que habitam o seu corpo e trabalham noite e dia dando o melhor de si por você.

Lembre-se de que a qualidade da sua energia vital é proporcional à qualidade da nutrição que você oferece a suas células e bactérias que habitam o seu corpo. Saiba que todo medicamento químico para ser fabricado e patenteado precisa de comprovação de que é feito de um produto sintético que não existe na natureza, no nosso planeta. Por isso, equivale a um extraterrestre com o qual seu corpo não sabe lidar e, por isso, ele vai começar a se defender provocando os danosos efeitos colaterais para alertá-lo.

Por isso, procure colaborar com seu corpo nutrindo-o com o que ele conhece. Tudo o que é natural é conhecido do seu corpo. Trate o seu corpo como o seu tesouro, e ele vai lhe mostrar o mapa da mina da saúde, do bem-estar e da felicidade. Exercite convidar o seu corpo a se energizar com as boas lembranças. Alegre-se com as suas conquistas passadas que o trouxeram até aqui. Ressignifique as lembranças negativas e observe quanto você aprendeu com todos os desafios que viveu. Agradeça pelas oportunidades que os desafios lhe proporcionaram de evoluir. Lembre-se de que todo dia é dia de agradecer. Coloque a gratidão na sua pauta diária.

Pese na balança quanto você agradece e quanto você se queixa, reclama e se vitimiza. A gratidão abre caminhos de prosperidade e evolução e a reclamação bloqueia. Treine-se para ser grato diante de tudo e, quanticamente, você saltará para o próximo nível. Salte agora!

Qualquer que seja o comportamento limitante que tenha hoje, seja um vício físico, seja emocional, ele só se estruturou porque você acreditou ou porque resistiu e possibilitou, assim, a instalação de uma programação negativa que está emperrando o seu fluir pela vida. Agora sabemos que uma nova programação pode ser criada. O primeiro passo é treinar a auto-observação dos seus pensamentos e emoções. Um poderoso antídoto disponível dentro de você contra pensamentos e emoções negativas é a prática da gratidão. Praticando diariamente a gratidão, você criará uma programação positiva e trará vibrações diárias de otimismo e positividade para a sua vida.

Devemos aprender a ter gratidão pelas nossas dores e decepções. Elas são nossos mestres no cotidiano. Aprenda com os grandes líderes da humanidade que foram mestres em transformar as dores em oportunidades. Seja um mestre da transformação!

Meditação da gratidão

Vamos agora fazer um exercício para treinar emocionalmente o seu corpo na frequência da gratidão.

1. Peço que escolha uma música suave de que goste, propícia para ficar num estado de relaxamento, de tranquilidade.
2. Feche os olhos, sente-se numa posição confortável e comece a respirar lenta e profundamente pelo baixo ventre. Observe sua barriga encher ao inspirar e esvaziar ao expirar.
3. Agora imagine um ponto de luz branca perolada intensa no seu coração.

4. Imagine que, a cada respiração, essa luz branca perolada intensa se espalha pelo seu corpo e vai nutrindo cada célula, cada átomo do seu corpo com a frequência da gratidão.
5. Fique nesse estado por, pelo menos, entre três e cinco minutos emanando a frequência da gratidão para todo o seu corpo.
6. Quando se sentir tranquilo e relaxado, abra os olhos, mantenha a respiração tranquila e relaxada e leia, com atenção, leveza e tranquilidade, o texto a seguir. Deixe que o sentimento de gratidão inunde o seu corpo junto com a luz branca perolada que continua emanando do seu coração.

Hoje eu fiz uma grande descoberta que trouxe para minha vida a real solução.

Eu descobri que o Universo é meu grande amigo.

Na verdade, ele age comigo como uma mãe e pai amorosos e cuidadosos que desejam sempre o melhor para mim.

E por isso, a partir de agora, todos os dias, viverei sempre a expressar a minha gratidão por tudo.

Com isso, me nutro com boas energias, vibrações e informações, cuido cada vez melhor de mim e agora sou o protagonista da minha vida.

Agora, eu sei que tudo que me aconteceu e me acontece é para o meu próprio bem.

Eu só preciso estar atento aos recados que recebo para evoluir.

Todos os dias eu tenho sempre novas lições a aprender.

O Universo quer sempre o meu bem e, quando eu não entendo bem a lição, ele pacientemente, repete tudinho de novo até eu aprender.

Ele me ensina que todo momento é um novo momento, de superação, de aprendizado e de crescimento.

Não há tempo ruim para o Universo e isso eu também aprendi com ele.

Por isso, eu parei de resmungar, de reclamar e de me vitimizar.

Mudei a faixa do CD da minha vida e, agora, tudo o que faço é agradecer e celebrar.

Também aprendi a perdoar, a ser flexível, a não me comparar e a fluir pela vida.

A gratidão opera milagres!

Ela me leva além, por incríveis universos paralelos que a Física quântica me ensinou a me teletransportar sempre que eu quiser fazer uma nova viagem para dentro de mim.

Na minha bagagem, carrego comigo leveza, alegria, confiança, harmonia, equilíbrio, tranquilidade, clareza, cuidado, compaixão, coragem e um coração repleto de gratidão.

Com o coração grato, todos os problemas acabaram. Agora eu sou sempre a solução.

Gratidão, gratidão, gratidão!

Avante! Com amor, alegria e gratidão!

Capítulo 7

A ABUNDÂNCIA OPERA ATRAVÉS DE VOCÊ

> *Você jamais será uma pessoa próspera de verdade se viver preocupada com o dia de amanhã. Essa é uma vibração de escassez. O dia de amanhã nós criamos agora, agradecendo pelo que já acessamos no campo quântico, vibrando num estado de ser de abundância.*
>
> WALLACE LIMA

Lendo a frase acima, talvez você possa pensar, "mas como não me preocupar com o dia de amanhã? Isso é possível? Isso funciona?" É possível e funciona, sim! Acontece que há uma grande diferença entre se *pré*-ocupar e focar a atenção em algo que queira realizar. O estado de preocupação revela uma desconfiança com relação ao resultado que se quer obter. Por outro lado, também revela o desejo inflexível de controle sobre o resultado que se quer obter. Tanto a preocupação quanto a necessidade de controlar o resultado possuem, como pano de fundo, o medo, a insegurança, a carência, a inflexibilidade diante da não aceitação de que as coisas possam acontecer de maneira diferente da prevista e, quem sabe, isso possa até vir a ser o melhor.

Esses sentimentos também revelam uma forte dose de apego associado ao que, neurologicamente, se chama de neurorigidez cerebral. Nesse estado, a pessoa fica prisioneira, mentalmente e emocionalmente, a uma única possibilidade de as coisas acontecerem. Ela não consegue pensar de outra maneira. É comum a pessoa ficar lembrando de situações negativas que aconteceram no passado e manter o estado de preocupação de que as coisas se repitam.

De fato, o que via de regra acontece é a expectativa negativa se confirmar e a pessoa continuar reclamando por não aceitar os fatos e se colocar como vítima, e não fazer nenhuma associação entre o resultado obtido e o seu estado de ser predominante, vinculado a pensamentos e sentimentos negativos, que fazem com que a realidade que queria evitar, terminasse acontecendo.

É como se a realidade anterior tivesse sido congelada e a cena relacionada à experiência negativa vivida no passado, estivesse se repetindo. Na Física quântica tem um paradoxo chamado Efeito Zenão Quântico em homenagem ao filósofo grego Zenão de Eleia (490 a.C–430 a.C) que criou o Paradoxo da Flecha, para demonstrar que o movimento de uma flecha não existia, era uma ilusão. O efeito Zenão Quântico foi descoberto pelos físicos indianos Baidyanath Misra e Ennackel Sudarshan que observaram o efeito de "Congelamento do Tempo" ao tentar observar sistemas quânticos instáveis como os minerais radioativos.[32]

Os físicos indianos constataram que o fato de estarem constantemente querendo observar a desintegração radioativa de uma amostra, fazia com que a desintegração não acontecesse. É como se amostra de mineral radioativo ficasse congelada no seu estado inicial, como a flecha de Zenão que parecia não se movimentar.

Lembre-se de que no mundo quântico a observação do que existe como potencialidade faz com que haja o colapso daquela realidade potencial e ela venha a se manifestar no mundo físico. No caso de

---

[32] BASSALO, José Maria Filardo. Efeito Zenão Quântico. *Curiosidades da física*. Disponível em: <http://www.searadaciencia.ufc.br/folclore/folclore333.htm>. Acesso em: 16 ago. 2017.

um material radioativo há o chamado tempo de meia vida, que corresponde ao tempo em que uma amostra de um mineral radioativo reduz a sua massa pela metade devido a radiação natural. O fato de os físicos indianos desejarem observar a radiação emitida fez com que o mineral parasse de irradiar, colapsando o estado anterior à observação.

Observe que podemos fazer uma analogia aqui com a pessoa preocupada, ansiosa. Ela está o tempo todo vibrando, tendo como referência experiências passadas. E mesmo que tenha vivido boas experiências no passado é comum as pessoas quererem controlar o que vai acontecer, preocupadas em que não dê certo. É esse estado de preocupação e controle que faz com que você "congele" as suas experiências passadas e possibilite que elas venham a se repetir, ciclicamente, na sua vida.

Portanto, quanticamente, é fundamental que você vigie os seus pensamentos e sentimentos dominantes. Se eles refletirem preocupações associadas a lembranças negativas do passado ou de preocupação se uma experiência positiva que viveu vai se repetir, procure mudar o estado e focar a sua atenção naquilo que quer realizar e investir em fazer o seu melhor e confiar que qualquer que seja o resultado, será o melhor para você e contribuirá, de alguma forma, com a sua evolução.

Na Bíblia, há umas passagens que tratam da inutilidade da preocupação: "Qual de vós, por mais que se preocupe, pode acrescentar algum tempo à jornada da vida?" (Mateus 6:27). "Portanto, vos afirmo: não andeis preocupados com a vossa própria vida, quanto ao que haveis de comer, nem muito menos com o vosso corpo, quanto ao que haveis de vestir." (Lucas 12:22). "Buscai, assim, em primeiro lugar, o Reino de Deus e a sua Justiça, e todas essas coisas vos serão acrescentadas. Portanto, não vos preocupeis com o dia de amanhã, pois o amanhã trará suas próprias preocupações. É suficiente o mal que o dia traz em si mesmo." (Mateus 6:33 e 34).

O último versículo diz no início "Buscai, assim, em primeiro lugar, o Reino de Deus e a sua Justiça, e todas essas coisas vos serão acrescentadas." Há uma outra passagem bíblica que diz: "O Reino de Deus está dentro de vós." (Lucas, 17:21). A meu ver esses versículos são complementares e bem coerentes com a visão científica de hoje.

Se a saída está em buscar o Reino de Deus para que possamos viver sem qualquer preocupação e se o Reino de Deus está dentro de nós, então nós somos a resposta para tudo.

O caminho então é voltar-se para dentro de si para encontrar todas as respostas de que precisamos. É aí que reside a diferença entre viver preocupado com o dia de amanhã e viver focado naquilo que se quer. Focar não é se preocupar e sim direcionar a nossa atenção para aquilo que queremos realizar e evitar as distrações. Focar é confiar, diferentemente de preocupar-se, que sempre traz uma dose de insegurança, de desconfiança.

Treinar a autoconfiança é conectar-se ao nosso Deus interior, expressando gratidão pela realidade que queremos manifestar, como se já tivesse acontecido. A conexão é feita quando conseguimos alinhar pensamentos e sentimentos com o objeto do nosso foco. A confiança possibilita que não queiramos levar a nossa atenção para o futuro com o intuito de querer controlar o resultado. Devemos apenas vigiar o nosso estado de presença para mantermos o foco e confiar.

Sair do controle é, também, deixar-se surpreender pelo resultado. É estar convencido de que o melhor está sempre por vir, mesmo quando disfarçado de um desafio. Confiar é expressar gratidão pelo resultado antes mesmo que se manifeste no mundo material. No momento em que a comunhão com o divino se estabelece "todas essas coisas vos serão acrescentadas". Na nossa cultura é muito comum as pessoas acreditarem num Deus que resolva os seus problemas, sem que elas façam a sua parte, sem que confiem de corpo e alma naquilo que querem realizar. É preciso entender que a desconfiança gera desconexão com o que se quer realizar. É desse modo que muitas pessoas se distanciam da prosperidade financeira, porque mentalmente e emocionalmente vivem na escassez, são verdadeiramente pobres de espírito, com uma vontade frágil. É também comum as pessoas fazerem inúmeras associações negativas ao fato de viverem com abundância financeira. É simples. Toda vez que você cria uma associação negativa com algo, você está criando uma barreira interior, através de estruturação de memórias, para que aquilo não se manifeste na sua vida.

Quando você se preocupa mais em receber do que em dar, você está invertendo a lógica da prosperidade. Porque o ato de receber é quanticamente proporcional ao ato de dar. Mantenha-se em atenção. Você não pode atrair para você aquilo que você não é. Reinvente-se!

A ciência da abundância

Como engenheiro eletrônico e professor de Física por mais de 20 anos sempre tive uma grande curiosidade em saber o porquê das coisas. Antes mesmo de entrar na universidade, eu já havia lido biografias de grandes gênios como Einstein, Newton e Galileu. Também li sobre grandes pensadores como Nietzsche, Sócrates, Sartre e Voltaire, entre outros, e era fascinado por Astrofísica. Entender os mistérios do Universo me fascinava, como me fascina até hoje.

Einstein certa vez disse: "Tem duas formas de você ver a vida. Uma é acreditar que não existem milagres, e a outra é acreditar que tudo é milagre". Sempre tive um grande fascínio em observar as Leis Naturais que regem o movimento incessante e evolutivo de tudo que há no Universo, bem como, os mínimos detalhes que possibilitam a existência da vida no nosso planeta e a abundância com que a vida se expressa, muitas vezes, de forma enigmática e bela.

Passei a entender que as Leis Naturais, como a Lei da Gravidade, as Leis da Eletricidade, do Magnetismo, do Eletromagnetismo e as forças nucleares forte e fraca que atuam dentro do átomo, bem como, o campo de Higgs que possibilita a existência do bóson de Higgs, que contribui para que as demais partículas do mundo subatômico se manifestem com uma massa específica, tudo isso existe sem depender de que acreditemos ou não. Se você agora pegar um objeto que está ao seu alcance e soltar no ar, ele vai cair. Duas cargas elétricas de sinais opostos sempre vão se atrair, assim como os pólos contrários de um ímã. Há uma ordem sábia que rege os mínimos detalhes de como a vida se manifesta de forma cooperativa no nosso planeta.

No seio de uma floresta, trilhões de micróbios habitam o solo transformando as folhas, as árvores, as fezes e urinas dos animais no mais poderoso adubo já fabricado e que dá sustentação a uma flora e uma fauna extraordinária com uma diversidade incrível e abundante. Não resta dúvida de que a abundância, a cooperação e o movimento incessante de todas as coisas demonstram que a busca de renovação e aprimoramento evolutivo é a forma natural como a natureza se expressa. Os taoistas costumam chamar de Tao o fluxo natural e incessante de tudo. Você pode também chamar de Deus ou da força que tudo rege. Pode chamar de mente cósmica, de Universo, de Espírito, de grande espírito, de Brahma. Você pode até mesmo não dar nome algum. No entanto, seja qual for o nome que você queira dar, independente de você acreditar ou não, essa força vai operar na sua vida. E assim como de nada vai adiantar você resistir à força da gravidade, o que demandará muito esforço, o mais sábio e inteligente a ser feito é não resistir a ela. O ideal mesmo é procurar entender como essa força opera, nos mínimos detalhes, seguir o seu fluxo e sair do campo da resistência.

Aceitar o fluxo da vida, sem resistências, vai te abrir as portas para o ciclo da abundância. Um dos princípios básicos da aceitação é expressar a gratidão por todas as coisas. Agradecer o que de bom viveu e agradecer pelos desafios e obstáculos que te ajudaram a exercitar buscar soluções para evoluir. Agradecer pelos desafios é a parte mais difícil e um caminho obrigatório para entrar no fluxo da abundância. O raciocínio é simples: Se você concorda que existe uma força que tudo rege, Deus ou o nome que queira dar, mas vive a reclamar da vida, das pessoas, do mundo e, às vezes, até de você mesmo, na prática você não concorda, não aceita. Quando age assim, você quer que o mundo seja do seu jeito. Você quer que as pessoas e o Universo inteiro se adequem ao que você acredita ser o melhor. Essa resistência é que impede que você seja grato aos desafios e entre no fluxo da abundância.

Expressar a gratidão pelos desafios é um pré-requisito básico para se passar de ano na escola da vida e migrar para uma nova etapa evolutiva. Esse é um importante salto quântico na mente que vai levar você para o próximo nível. Michael Beckwith, é um notável palestrante e escritor, que participou do filme *O Segredo* e que tive a oportunidade de conhecer pessoalmente em Los Angeles, durante uma palestra em que ele me surpreendeu ao me convidar a falar do meu trabalho e sobre um evento que eu estava organizando em Los Angeles em janeiro de 2016. No seu livro *The Answer is You*, que ele me presenteou depois, ele propõe uma terceira motivação para sermos gratos, que é manter-se em um constante estado de apreciação.

Mesmo que não haja um motivo aparente, devemos sempre nos manter em um estado de alegria interior e gratidão pela existência. Às vezes, me pego apreciando a beleza das flores e seus aromas. Costumo também refletir sobre a perfeição das frutas e seus nutrientes e sabores maravilhosos. Quando estou chupando uma manga espada ou uma manga rosa, as minhas preferidas, fico apreciando a sua doçura, sua textura, o seu sabor. Sem falar da sombra proporcionada pelas mangueiras, o oxigênio produzido através da fotossíntese e o espaço para que aves se alimentem e façam seus ninhos. Quando tomo uma água de coco também aprecio a generosidade do coqueiro em produzir uma água com qualidades extraordinárias e ainda proporcionar o leite e o óleo do fruto com propriedades nutritivas e preventivas extraordinárias.

Convido você a exercitar esse sentimento de apreciação em sua vida também. Aproveite para apreciar o nascer e o pôr-do-sol, uma noite de luar, a sombra generosa de uma árvore, um banho de mar ou de cachoeira. O sentimento de apreciação nos conecta à dimensão milagrosa da existência e nos remete à frase de Einstein de que tudo é milagre.

Observe o desabrochar de uma flor, o brotar de uma semente. Os milagres são cotidianos. A cada segundo, algo está se transformando, evoluindo. Siga o exemplo da criação e se abra para criar algo de novo, algo capaz de fazer os milagres acontecerem na sua vida. Milagre-se!

Um outro aspecto fundamental da ciência da abundância está relacionado à sua capacidade de doação, de compartilhar seus conhecimentos e talentos, de exercitar a generosidade e de perdoar. Na oração de São Francisco tem uma passagem que diz: "Pois é dando que se recebe, é perdoando que se é perdoado." No Universo, a Lei que governa a abundância e a prosperidade financeira é bem simples. Você recebe na proporção em que doa. Por isso, você não pode se comportar como um mendigo e querer receber como se fosse um príncipe.

Não adianta jogar na loteria para ficar milionário se não superar uma mentalidade de escassez, de pobreza. Hoje, sabe-se que pelo menos um terço (33%) das pessoas que ficam milionárias ganhando na loteria voltam a ser pobres num período aproximado de cinco anos.[33] É o caso de Antônio Domingos que, em 1983, ganhou 30 milhões na loteria e em cinco anos conseguiu voltar à estaca zero. Em 2013, ele vivia em um anexo em construção no terreno da casa da sua mãe, não tinha carro, trabalhava como garçom e fazia bico de pedreiro para ganhar um dinheiro extra. O seu maior arrependimento foi sequer ter comprado uma casa para a mãe quando tinha condições. Foram cinco anos de uma vida extravagante morando numa suíte presidencial de um hotel de luxo em Salvador, 18 carros adquiridos e grandes farras, quase que diárias, em que torrava o seu dinheiro com bebidas e mulheres.

O caso de Antônio é uma situação clássica de percepção equivocada do que é ser rico. E isso tem a ver com a cultura dominante que vincula o sucesso apenas à posse de bens materiais desassociada de valores perenes e universais e que trazem consistência, dignidade e propósito às nossas vidas. Não há nada de errado em uma pessoa ser um arquibilionário, se constrói a sua fortuna de forma justa e honesta. Na verdade, à nossa prosperidade financeira é diretamente proporcional à nossa capacidade de gerir com sabedoria as nossas finanças e de espalhar benefícios para as demais pessoas.

Uma pessoa rica, na perspectiva quântica, é aquela que venceu a si mesma e que está habituada, todos os dias, a vencer batalhas internas para se manter firme no seu propósito de vida e de continuar sendo um humilde aprendiz da inteligência maior que tudo rege. Sócrates

---

[33] PERINI, Bruno. A verdade sobre porque os ganhadores da loteria voltam a ficar pobres. *Você mais rico.* Disponível em: <http://vocemaisrico.com/2013/12/05/verdade-sobre-porque-os-ganhadores-da-loteria-voltam-ficar-pobres/>. Acesso em: 15 ago. 2017.

dizia: "Conhece-te a ti mesmo!" e "Só sei que nada sei." Essa deve ser a postura de uma pessoa que quer prosperar, não só financeiramente, mas em todas as áreas da sua vida. A prosperidade financeira equivale a uma das quatro pernas de uma mesa. Essas quatro pernas da mesa revelam a interdependência entre as quatro dimensões da nossa existência: material, mental, emocional e espiritual.

Por isso, a prosperidade financeira, material, não pode ser duradoura se há inconsistência e falta de coerência em uma ou mais das outras três áreas restantes. Daí a necessidade de autoconhecimento para que possamos nos enriquecer interiormente, elevando a nossa autoestima, e fortalecendo em nós as virtudes que nos tornam seres humanos melhores, cooperativos, íntegros e comprometidos com o nosso aprimoramento pessoal e de toda a humanidade.

A frase de São Francisco também fala do perdão. Quando não conseguimos perdoar é como se carregássemos fardos pesados pela vida que bloqueiam a nossa capacidade criativa e a nossa prosperidade. Perdoe para também ser perdoado e torne a sua vida mais leve, inovadora e próspera. A perspectiva quântica da existência nos convida a sermos protagonistas da nossa própria história, ativos e proativos participantes na construção e no aprimoramento diário do nosso próprio destino.

Eu costumo dizer que cada ser humano é uma réplica em miniatura do Universo. As possibilidades estão dentro de cada um de nós. Observe as conquistas tecnológicas, e nas demais áreas do conhecimento, que surgiram a partir de uma simples ideia. Muitas dessas ideias eram consideradas impossíveis. A perspectiva socrática do "só sei que nada sei", nos convida ao campo da humildade, a deixarmos qualquer tipo de postura arrogante de achar que somos o dono da verdade.

Compreender a transitoriedade de todas as coisas nos coloca no fluxo do aperfeiçoamento contínuo, de sermos eternos aprendizes em busca de aprimoramento e evolução. A filosofia budista fala que a origem do sofrimento está associada ao apego e à ignorância. O apego acontece quando não reconhecemos a transitoriedade de todas as coisas, que é o que os budistas chamam de impermanência e, por isso, sofremos vivendo apegados ao passado. A ignorância está relacionada ao fato de ignorarmos, de não entendermos as leis e os princípios universais que regem a existência de todos os seres sencientes e, por isso, nos comportarmos de forma a dificultar os nossos próprios objetivos.

Ao compreendermos que o Universo responde, sem julgamentos, ao que nós somos, o caminho passa a ser a busca pelo aprimoramento, procurando dar sempre o melhor naquilo que fazemos e assumindo 100% a responsabilidade por tudo que acontece nas nossas vidas.

Assumir 100% a responsabilidade por tudo que acontece na sua vida, abre as portas para que também encontre 100% das soluções. Não assumir responsabilidades equivale a abrir mão de encontrar as soluções. Solucione-se!

Índice de Autorresponsabilidade (IAR)

Tem uma frase bíblica que considero muito significativa e esclarecedora no que diz respeito ao que chamo de Ciência da Abundância. "Pois a quem tem, mais lhe será dado, e terá em abundância, mas, ao que quase não tem, até o que tem lhe será tirado." (Mateus 13:12). É comum essa frase ser mal interpretada quando não se compreende o que chamo de Índice de Autorresponsabilidade.

Esse índice é um indicativo do quanto nos responsabilizamos por tudo que acontece na nossa vida. Quanto menor o índice, indica que estamos terceirizando a nossa responsabilidade, nos vitimizando, a espera de que alguém resolva os nossos problemas. A passagem bíblica é categórica, "a quem tem, mais lhe será dado; mas ao que quase não tem, até o que tem lhe será tirado." Como assim? Você pode perguntar, não deveria ser o contrário?, tirar de quem já tem e dar a quem quase não tem?

Acontece que o Universo não julga e muito menos é punitivo. A Lei é clara! Nós recebemos aquilo que merecemos. Nós só colhemos aquilo que plantamos. Os resultados que obtemos são de inteira responsabilidade nossa. Por isso, se você entender as leis que regem a Ciência da Abundância, e praticá-las, é natural que você atraia a abundância para a sua vida. E quanto mais você tiver, a tendência é que continue a ter mais, se continuar a aplicar a Lei corretamente, "a quem tem, mais lhe será dado".

Como já vimos, não há julgamento no Universo. Ele apenas responde a quem somos. E é quem somos, associado a nossas crenças e percepções que modelam as lentes com que percebemos o mundo de maneira particular e vemos as pessoas. Da mesma forma, se você tem pouco e continua vibrando na frequência da escassez, do medo, da insegurança e da vitimização, o Universo não terá peninha de você e nem lhe tratará como um coitado. Isso não te ajudará a crescer, a evoluir. Se você se comportar como um mendigo, continuará a ser tratado como um mendigo. "Ao que quase não tem, até o que tem lhe será tirado." Sinta que há coerência na passagem bíblica.

Se você plantar um pé de goiaba e começar a colher jaca, você jamais vai ter consciência do resultado real da sua ação. Seria uma loucura viver em um mundo assim. Por isso, as Leis Universais são claras e justas. Você só colhe aquilo que planta. E se não está satisfeito com o resultado da sua colheita, assuma 100% a responsabilidade pelo seu plantio e investigue, minuciosamente, como um cientista, cada etapa. Veja que relação pode haver entre o resultado obtido no mundo exterior, com a vibração dominante do seu mundo interior, relativa aos seus pensamentos, sentimentos, atitudes, crenças e percepções.

Existe uma tradição espiritual do Egito antigo que, assim como o budismo e o taoísmo, assemelha-se muito a uma filosofia de vida associada a princípios universais, tal como são os ensinamentos de Jesus. A Filosofia hermética é regida por princípios que podem ser facilmente associados aos princípios quânticos e contribuir para que possamos entender a ciência da abundância.

O primeiro princípio hermético diz que o Universo é mental. O célebre astrofísico britânico Sir Arthur Eddington, certa vez, afirmou que "a matéria de que o mundo é feito é a matéria mental." O físico pioneiro Sir James Jeans também afirmou: "O Universo começa a se parecer mais com um grande pensamento do que com uma grande máquina. Devemos saudar a mente como o criador e governador do Reino da Matéria." O reconhecido cientista Dean Radin também afirmou: "A conclusão fundamental da nova física também reconhece que o observador cria a realidade." Max Planck, o pai da Física quântica disse: "Eu considero a matéria como um produto derivado da consciência."[34]

Fiz questão de colocar uma série de citações de cientistas reconhecidos que corroboram com o primeiro princípio hermético. É fundamental na aplicação da ciência da abundância que mentalmente você expresse a abundância e se comporte como uma pessoa abundante, se você deseja atrair a prosperidade financeira para a sua vida. Só você pode mudar a realidade fora a partir da mudança dos seus pensamentos dominantes.

Veja agora o segundo princípio hermético chamado de Princípio da Correspondência: "O que está em cima é como o que está embaixo. O que está dentro é como o que está fora." Podemos interpretar este princípio entendendo que as leis que regem o Universo (o que está em cima) são as mesmas que regem o ser humano e regem a Terra (o que está embaixo). O nosso mundo exterior é um reflexo do nosso mundo interior. Ou seja, não tem como viver em abundância material se interiormente você se comporta como um miserável.

O quinto princípio é o Princípio do Ritmo: "Tudo tem fluxo e refluxo. Tudo que sobe desce." O movimento é inerente à natureza das coisas. Viver em abundância requer fazer a riqueza circular. A riqueza precisa gerar mais riqueza. O conhecimento precisa ser compartilhado, multiplicado. O talento precisa ser compartilhado. Para uma pessoa com mente abundante não existe concorrência. Há espaço para todos. Se você ocupar o seu lugar de honra, ninguém poderá ocupar o seu lugar. Você é um ser único, uma singularidade. Uma pessoa com mente abundante dá sempre o melhor de si e evita comparações. Se tem algo novo a ser aprendido, vai lá e aprende.

---

[34] Físicos chocam o mundo ao afirmarem que "nossos pensamentos afetam diretamente o mundo físico". *Sempre questione.* Disponível em: <http://www.semprequestione.com/2015/10/fisicos-chocam-o-mundo-ao-afirmar-que.html>. Acesso em: 16 ago. 2017.

Se tem alguém fazendo algo excepcional, aplaude, reconhece. E, se possível, também aprende a fazer e compartilha.

Na Ciência da Abundância, estagnação é morte, é sinônimo de escassez. Energia que não circula, adoece, empobrece, enferruja. A riqueza precisa circular e gerar benefícios, resolver problemas, propor soluções, inspirar outras pessoas a darem sempre o melhor de si, a serem criativas, proativas e cooperativas.

O sexto Princípio Hermético é o Princípio da Causa e Efeito: "Toda causa tem seu efeito, todo efeito tem sua causa. Tudo acontece de acordo com a Lei." Se você não consegue atrair prosperidade e abundância financeira para sua vida, lembre que o Universo é mental[35] e responde aos seus pensamentos e crenças dominantes. Por isso, é preciso ir fundo na investigação das crenças que você tem com respeito a ter dinheiro e ter sucesso para descobrir a raiz do problema.

Não confunda ter sucesso com apenas ter dinheiro. Se você conseguir ter dinheiro honestamente, se transformar numa pessoa cada vez melhor, e ainda ajudar as outras pessoas a também serem melhores e a evoluírem como seres humanos, o sucesso baterá na sua porta. Sucessifique-se!

Para você o que é ter dinheiro e ter sucesso?

Antes de refletir sobre dinheiro e sucesso eu vou trazer mais uma passagem bíblica que considero muito relevante para introduzir o tema: "A quem muito foi dado, muito será exigido. E a quem muito foi confiado, muito mais será requerido." (Lucas 12:48). A forma como a mídia veicula as pessoas de aparente sucesso na sociedade, como artistas, jogadores de futebol, empresários, diretores de cinema, políticos, etc., está comumente associado ao sucesso financeiro e profissional. Às vezes, dá a impressão de que essas pessoas não são seres humanos normais e vivem a maior parte do tempo em um mar de rosas e perfeição.

---

[35] MARRACCINI, Graziella. Os sete princípios da Filosofia Hermética. *Somos todos um*. Disponível em: <http://somostodosum.ig.com.br/artigos/astrologia/os-sete-principios-da-filosofia-hermetica--1087.html>. Acesso em: 16 ago. 2017]

O maior interesse da mídia é apenas apresentar o palco das pessoas famosas. Pouco se sabe dos bastidores em que elas vivem, a sua vida real. Como é o dia a dia dessas pessoas, quais os seus medos, traumas, angústias, fantasias? Como elas lidam com os desafios diários, com as doenças, como cuidam de si? É comum as pessoas compararem os seus bastidores, que refletem os seus desafios diários, como o palco de pessoas famosas e isso as faz, muitas vezes, se sentirem inferiores, pois, comumente, ao se compararem, há uma disparidade muito grande entre o seu bastidor e o palco da outra pessoa. No entanto, o sucesso não se mede por aparências.

É muito comum pessoas de sucesso, milionárias, se suicidarem, cometerem crimes ou morrerem de overdose, ou terem outros comportamentos que revelam um estado de infelicidade e angústia dignos de compaixão. Por isso, nunca compare o seu bastidor com o palco de alguém, que são as suas aparências. Como diz o ditado: as aparências enganam.

Se você quer ser uma pessoa de sucesso, prepare-se para assumir responsabilidades maiores, invista em você, cuide-se melhor, doe-se mais, seja humilde, abra-se a novos aprendizados, evite comparações. Entenda as palavras de Jesus: "A quem muito foi dado, muito será exigido; e a quem muito foi confiado, muito será requerido." Lembre-se de Antônio Domingos que ganhou 30 milhões de reais e, cinco anos depois, voltou à estaca zero e sequer foi capaz de comprar uma casa para a mãe. Durante cinco anos, ele viveu no palco, no mundo imaginário das aparências do que entendeu ser uma pessoa de sucesso. Não foi capaz de gerar benefícios sequer para si próprio, muito menos para as pessoas mais próximas, como a mãe. "A quem muito foi dado, muito será exigido."

A riqueza precisa circular. O seu sucesso só será completo quando você conseguir superar seus inimigos internos, as identidades que criou durante sua vida quando se identificou e acreditou em algo, às vezes contrário ao seu propósito de vida. Lembre-se dos princípios herméticos: *o que está dentro é como o que está fora*. Se, interiormente, você se considera inferior, um fracasso ou não merecedor de ter uma vida digna e feliz, quando o sucesso bater na sua porta ou, de repente, você ganhar na loteria ou coisa parecida, é possível que você sabote essa situação nas devidas proporções das suas crenças limitantes, assim como Antônio Domingos fez.

Portanto, se quer ser uma pessoa de sucesso comece a se preparar para assumir responsabilidades maiores, pois as exigências aumentarão. Um dos obstáculos mais comuns à prosperidade financeira são as crenças limitantes em relação ao dinheiro. Entenda que dinheiro é apenas uma moeda de troca. Quanticamente, dinheiro é energia que transita e facilita as relações de compra, venda e de troca de serviços. Se você começar a atribuir valores humanos negativos ao dinheiro, quando ele chegar nas suas mãos, você dará um jeito de se livrar dele.

Na Ciência da Abundância não é possível você ser abundante naquilo que rejeita. A rejeição ao dinheiro nada mais é do que um sistema de crenças que se transformou num programa subconsciente e que enquanto estiver operando será impossível você prosperar financeiramente.

Quanto mais você resiste a algo ou a alguém, mais atrai essa situação para a sua vida. Procure seguir o fluxo da vida e foque a sua energia aonde quer chegar. Pare de olhar pare os obstáculos! Flua!

Para que você possa fluir no Fluxo da Abundância é necessário parar de resistir e fazer as pazes com o dinheiro, gerando um novo arquivo de memória no qual o dinheiro nada mais é que uma moeda de troca nas suas mãos e será usado com inteligência, sabedoria e maestria. Eu vou citar aqui algumas crenças limitantes clássicas e você vai identificar aquelas com as quais você tem ressonância.

1. O dinheiro é sujo.
2. O dinheiro não traz felicidade.
3. O dinheiro atrai falsos amigos.
4. O dinheiro corrompe.
5. O dinheiro atrai pessoas interesseiras.

6. O dinheiro atrai inveja.
7. O dinheiro só traz preocupações.
8. Ter dinheiro faz as pessoas ficarem desumanas.
9. As pessoas que têm dinheiro são arrogantes.
10. Pessoas com dinheiro acham-se superiores, melhores que as outras.
11. Pessoas com dinheiro não são humildes.
12. As pessoas só valorizam quem tem dinheiro.
13. Dinheiro promove desonestidade e corrupção.
14. Quem tem muito dinheiro deve ter feito algo errado.
15. Só de pensar em ser rico eu me sinto mal.
16. A minha família foi sempre pobre e eu também devo ser.
17. Se eu ficar rico vou gerar desconforto nas pessoas pobres da minha família.
18. O dinheiro chama muito a atenção e prefiro viver no anonimato.
19. Acrescente outras crenças pessoais

Índice de Sabotagem ao Dinheiro (ISD)

O que chamo de Índice de Sabotagem ao Dinheiro está associado ao número de crenças limitantes ativas que estão bloqueando a sua prosperidade financeira, devido ao fato de você ter atribuído qualidades humanas ao dinheiro. Observe as crenças limitantes que listei anteriormente sobre dinheiro e sinta quais são as que você se identifica. Se você identificar alguma outra crença diferente das que listei, acrescente a essa lista.

Crenças limitantes equivalem a travas emocionais desencadeadas por programas automáticos que você imprimiu no seu subconsciente. No livro *A Porta para todas as Maravilhas*, no capítulo 7, página 210, os mestres taoístas Mantak Chia e Tao Huang falam sobre o sucesso financeiro:

> *O sucesso é determinado pela autorrealização dos negócios por meio do poder interno da dedicação, da determinação e da vontade. Sem a reali-*

> zação interna, não pode haver nenhum reconhecimento social do sucesso. O sucesso é uma consequência de todo negócio. Ele não proclama a própria existência. Por quê apegar-se a ele? No Taoísmo, o sucesso tem a ver com a libertação pessoal em relação à transformação de energia e não depende da aprovação nem do reconhecimento pessoal. Como o valor da vida é construído pelas ações realizadas com bondade, não há necessidade de aprovação social. O sucesso está dentro do coração das pessoas, e sua recompensa e resultado final é tornar-se imortal.

Observe que no ponto de vista da filosofia taoísta, o sucesso financeiro é uma conquista interna com base em valores internos inspirados em dedicação, determinação, vontade e esforço pessoal associados a ações realizadas com bondade e que não dependem de aprovação social.

Então, o primeiro foco na busca do sucesso financeiro deve ser mudança de referencial. Primeiro, você deve buscar investir na transformação do seu mundo interior. Você deve buscar um sentido na vida integrado às Leis Universais que temos citado aqui. Você deve buscar viver com propósito e desenvolver um profundo senso de integridade e de bondade, de modo a ter consciência plena de quando o dinheiro chegar nas suas mãos será transformado em bênçãos para você e para a humanidade.

Persiga essa autoconsciência dia e noite. Observe-se, valorize-se. Para os taoístas não devíamos buscar o sucesso usando apenas meios externos para obtê-lo. O sucesso é uma consciência de encontrarmos uma harmonia entre o mundo interior e o mundo exterior. Do contrário, o sucesso torna-se apenas uma luta para ter dinheiro e poder, para ser reconhecido. É essa luta desenfreada para ter sucesso financeiro, a todo custo, desconectada de valores humanos, que criou todas as crenças limitantes que citei anteriormente.[36]

Entenda que as crenças negativas que você possa ter em relação ao dinheiro não dizem respeito ao dinheiro e sim à forma equivocada

---

[36] O sucesso na visão Taoísta. *Instituto InterTao*. Disponível em: <http://healing-tao.com.br/o-sucesso-na-visao-taoista/>. Acesso em: 16 ago. 2017.

como na nossa sociedade se persegue o sucesso financeiro no mundo exterior, desconectado da transformação do mundo interior, associado aos sentimentos elevados que fazem o nosso coração pulsar e coordenar a inteligência inata do nosso corpo e mente e nos conectar a nossa sabedoria que vem através do amor e da intuição. Enquanto você estiver operando subconscientemente, governado por crenças limitantes em relação ao dinheiro, a prosperidade financeira será inatingível. E mesmo que venha a ganhar muito dinheiro, ele virá acompanhado de uma sensação de desconforto, de inadequação, de desconfiança em relação à sua capacidade de usá-lo corretamente.

Isso equivale a uma patologia de cunho emocional que costumo chamar de Síndrome da Escassez. Urge ativar uma nova programação que funcione como um antivírus da escassez. Para que esse antivírus funcione na sua plenitude comece agora a sua transformação pessoal. Decida dar sempre o melhor de si. Decida motivar suas ações através da bondade, da integridade, da transparência e da inteireza.

Com o seu mundo interior fortalecido, um novo eu poderá emergir e você poderá criar uma nova realidade pessoal em que o seu sucesso na vida refletirá o seu sucesso interior, a coragem de se reinventar, de se recriar, de ser o artesão do seu próprio destino. A seguir, vamos para uma atividade prática com afirmações que funcionarão como chaves que abrirão as portas de uma nova programação.

Você não é uma máquina programada apenas para repetir o que as gerações passadas fizeram e não deu certo. Isso qualquer um faz. O seu papel é ver o que não deu certo e aperfeiçoar. No quebra-cabeças da existência, você é uma peça chave para contribuir com a evolução do todo. Valorize-se!

Meditação da abundância interior

1. Sente-se em posição confortável.
2. Inicie uma respiração lenta e tranquila no baixo ventre.

3. Conecte-se ao seu coração e imagine um ponto de luz violeta brilhante pulsando no seu interior.
4. Imagine que, a cada respiração, essa luz se expande por cada célula, cada átomo do seu corpo, transmutando energias estagnadas, toxinas emocionais que não estão alinhadas com o seu propósito de vida
5. Deixe que a alta frequência da luz violeta queime o que precisa ser queimado, limpe o que precisa ser limpo. Desapegue-se de lixos emocionais
6. Solte, libere, deixe ir o que precisa partir
7. A cada respiração lenta e tranquila, através do seu coração, sinta a luz violeta realizando o seu trabalho amoroso de remover qualquer obstáculo à sua prosperidade financeira
8. Isso! Deixe ir o que precisa partir! Desapegue-se!

Mantendo esse estado de tranquilidade, confiança e foco, repita as afirmações abaixo quantas vezes quiser. Use-as como um antivírus sempre que alguma programação negativa sobre dinheiro vier à tona

1. Eu me transformo a cada dia na minha melhor versão.
2. Eu sou guiado pela inteligência do meu coração.
3. Eu vivo sempre no presente e dou sempre o melhor de mim em tudo que eu faço.
4. Eu sou a pessoa mais importante para mim mesma nesse momento.
5. Eu me amo, eu me aceito, eu mereço ser feliz.
6. Eu cuido muito bem de mim, lapido o meu mundo interior e compartilho os meus tesouros internos.
7. Eu me fortaleço e me revigoro com bons pensamentos, sentimentos e ações.
8. Eu sou Senhor de mim mesmo e dono de uma integridade inquebrantável.
9. O meu coração é guiado pela bondade, pela confiança, pela generosidade, pela tranquilidade e pelo equilíbrio.

10. Eu sou inspirado pela inteligência universal que me orienta a sempre agir com sabedoria, honestidade e amor.
11. Estou consciente de que o dinheiro é uma energia que, em minhas mãos, eu usarei sempre para me transformar numa pessoa melhor, me cuidar e contribuir para um mundo melhor.
12. O dinheiro em minhas mãos tomará sempre a melhor direção e será usado sempre com sabedoria para o bem maior.
13. Eu sou um exemplo de como lidar com dinheiro. Nas minhas mãos, o dinheiro se multiplica, proporciona prosperidade, harmonia e generosidade.
14. Eu mereço ser feliz e uso a ciência da abundância para fazer bom uso do dinheiro com base em valores elevados, universais.
15. Eu sou incorruptível. Nada me afasta do meu propósito de vida. O dinheiro fortalece em mim o que tenho de melhor e me faz sentir mais responsável em contribuir para um mundo melhor.
16. O dinheiro me faz entrar no eixo da autoconfiança e perceber quanto o Universo confia em mim para contribuir com o propósito evolutivo de toda a humanidade
17. Eu assumo 100% a responsabilidade por tudo que acontece na minha vida e, quanto mais dinheiro eu tenho, mais responsabilidade assumo e fortaleço o meu senso de humanidade e propósito.
18. A riqueza é uma condição natural que herdei desde que nasci. Eu sou rico por natureza.

Lembre-se de que a prática das afirmações é uma forma de treinar o seu corpo emocionalmente a atingir o estado desejado. Mesmo que você ainda não se comporte assim, aja como se já se comportasse.

O cérebro não diferencia o que você vive do que você imagina. Ao imaginarmos uma situação, estamos ativando as redes neurais associadas a essa situação e construindo, deliberadamente, uma nova programação. Pratique, determine-se a emergir das suas entranhas um novo eu, revigorado e próspero. Lembre-se: essa possibilidade já existe em estado latente, adormecido e só está à espera de que você emita o sinal na frequência certa para que se manifeste na sua vida.

Prosperize-se, sucessifique-se, confie e cultive a coragem, e cultive sempre um bom coração. O Universo está apenas esperando que o seu brilho interior se espalhe e faça parte de uma nova constelação de estrelas.

Avante!

Capítulo 8

CURE SUA ALMA, CURE SEU CORPO

> *Evite aprisionar-se no passado. Use as experiências vividas para construir novos aprendizados. Decida evoluir a partir de qualquer cenário de sua vida. Todos os caminhos escolhidos trazem uma possibilidade quântica de evolução. Escolha crescer!*
>
> WALLACE LIMA

Imagine que você tenha, à sua disposição, diariamente, todos os conhecimentos e todas as experiências vividas pela humanidade, desde a origem do Universo até os dias de hoje, para escolher e fazer o melhor uso deles na sua vida. Imagine que todos os ensinamentos dos grandes mestres e sábios, de todas as tradições espirituais da humanidade estão à sua disposição, todos os dias, disponíveis para contribuir com a sua evolução e despertar em você a sua melhor versão. Agora, imagine que você tenha um poderoso computador disponível todos os dias para você armazenar todas essas informações e conhecimentos e com a capacidade de simular todas as experiências já vividas, bem como, iniciar uma experiência completamente nova em um novo contexto ou de recriar e reinventar experiências já vividas. Pois fique certo de que tudo isso você já tem à sua disposição.

O seu corpo, juntamente com o seu cérebro, possui a capacidade de pensar e de processar emoções, de arquivar experiências, de aprender, de reaprender, de simular e se conectar fisicamente, ou não localmente, a todo o acervo de informações e conhecimentos que foi produzido durante toda a história da humanidade. O ser humano já evoluiu extraordinariamente no desenvolvimento da inteligência artificial. Em função da Lei de Moore,[37] que foi uma aposta do engenheiro americano Gordon Moore, em 1965, e que é voltada para explicar a velocidade de processamento das novas tecnologias digitais que governam o mundo de hoje, sabe-se que a cada 18 meses, a capacidade de processamento dobra, sem que isso influencie o aumento do custo do processador, nem aumento do consumo de energia, nem aumento do espaço ocupado. A chamada Lei de Moore explica a rapidez com que as novas tecnologias digitais se desenvolvem de forma espantosa e ficam mais práticas e mais baratas ao longo do tempo. No entanto, nenhuma máquina é capaz de atribuir significado às suas experiências. O que as máquinas fazem é reproduzir, com eficácia e rapidez, uma programação predeterminada. A diferença está na forma como nós reagimos a determinada experiência e ao significado que atribuímos a ela diante das possibilidades que temos à nossa disposição.

A nossa alma ou nosso eu ou nosso self, equivale ao somatório de experiências que tivemos através dos nossos pensamentos e emoções e que atribuímos um sentido, um significado e que processamos através do nosso intelecto. A alma diz respeito a quem nós somos, a nossas atitudes, nossas ações, nossas escolhas, nosso caráter. No entanto, nós somos e existimos dentro de um contexto maior. Nós somos filhos da natureza, somos filhos do cosmos e, por isso, somos regidos por Leis Universais que obedecem a uma ordem. De acordo com Bert Hellinger, o pai das Constelações Sistêmicas, nós somos regidos pelas ordens do amor.

---

[37] Lei de Moore: como ela revolucionou a tecnologia nos últimos 50 anos. *Olhar digital*. Disponível em: <https://olhardigital.com.br/video/lei-de-moore-como-ela-revolucionou-a-tecnologia-nos-ultimos-50-anos/48053>. Acesso em: 15 ago. 2017.

O novo paradigma que emerge a partir dos princípios da Física quântica nos coloca em uma relação de interdependência com tudo que existe no Universo. A nossa existência afeta o todo. Fazemos parte de uma imensa teia da vida cuja mola propulsora e aceleradora da evolução são os processos cooperativos. Emerge no meio corporativo a liderança com base no exemplo, no servir, no cooperar e no evoluir. A diversidade e a complexidade dos sistemas vivos, regidos por Leis Naturais, nos convidam a observar a nossa relação com a natureza e a perceber quanto nos distanciamos dela e nos desconectamos das suas leis.

Uma forma de mensurar isso é observar o seu corpo. Ele é o reflexo da sua alma, dos valores que te motivam a agir na vida, a tomar decisões e fazer suas escolhas. É fato que não suportamos ser predadores de nós mesmos por muito tempo. Por isso, eu peço que nesse momento pare um pouco e se auto-observe. Qual o nível de cuidado que você tem com você hoje? Qual o nível de conexão que você tem com a natureza hoje? Como você se relaciona com você hoje? Como está a sua saúde hoje? Como anda a sua motivação? Que sonhos te impulsionam? Qual o teu nível de resiliência? Como tem usado a sua intuição na tomada de decisões? Como o medo afeta as suas tomadas de decisões? Possivelmente, o nosso instinto de sobrevivência seja o nosso instinto mais primitivo e no qual o nosso cérebro se especializou a operar com incrível precisão.

Há um órgão que faz parte do nosso sistema límbico, chamado de amígdala cerebral ou cerebelar, que é responsável por disparar o alerta associado a qualquer situação que possa parecer uma ameaça a nossa sobrevivência e a nossa integridade. É através da amígdala cerebelar que relembramos os traumas mais remotos, mesmo aqueles em que éramos muito pequeninos e até mesmo quando ainda habitávamos o útero da nossa mãe. A necessidade de proteger a nossa integridade física e emocional faz com que a amígdala dispare, a qualquer sinal de ameaça, trazendo para o seu corpo a química do medo associada à experiência que você viveu no passado, em função do significado que você atribuiu a essa experiência.

Não importa se o medo que você teve, em alguma situação que viveu na sua vida, depois comprovou-se que aconteceu por engano. Tudo que você viveu, sentiu medo ou algum tipo de sensação de comprometimento da sua integridade física ou emocional ficou registrado enquanto memória e a sua amígdala vai trazer de volta a sensação ao seu corpo sempre que uma lembrança disparar o gatilho dessa memória, sendo procedente a experiência ou não.

A amígdala tem uma importância vital, pois ela é o órgão responsável em nos colocar em estado de alerta em relação a qualquer situação que ameace a nossa sobrevivência. No entanto, uma pessoa que vive na frente da TV ouvindo notícias negativas, bem como no rádio, e adora falar sobre problemas, doenças, ameaças, crises e vive a criticar Deus e o mundo, terá, naturalmente, uma ativação permanente da amígdala e isso leva a pessoa a viver em um estado perene de medo e ansiedade, fazendo com que viva no modo sobrevivência, em que se sente permanentemente em estado de ameaça. É esse estado que desencadeia o estresse e faz com que a pessoa condicione o corpo a expressar uma genética doentia. Com a descoberta da Epigenética, hoje podemos, conscientemente, treinar, a partir de novas atitudes, pensamentos, sentimentos, crenças e percepções, fazer novas escolhas, ter novos comportamentos e trazer um novo significado para as nossas vidas, mudando a qualidade das proteínas que fabricamos a cada instante no corpo e que estão por trás de tudo que se manifesta nas nossas vidas.

Entendendo a Epigenética

É no interior das nossas células que vamos encontrar a usina que dia e noite produz todas as proteínas que fazem parte de tudo que existe no nosso corpo e que fazem parte de nós, seres humanos. No interior de cada célula habitam 23 pares de cromossomos que são estruturas que se parecem com novelos de lã. Os cromossomos são feitos de DNA (ácido desoxirribonucleico), um composto orgânico que contém as instruções genéticas que faz de nós seres humanos, e que também está presente em quase todos os seres vivos e é o responsável por propagar e aperfeiçoar o código da vida. A molécula de DNA é composta de uma fita dupla em forma de espiral, composta por quatro bases nitrogenadas que se conectam a uma estrutura que lembra um zíper. Cada lado do zíper possui sequências dessas quatro bases que se encaixam com as bases que estão do outro lado do zíper, por afinidade, através de pontes de hidrogênio.

O que chamamos de gene são sequências específicas contendo centenas ou milhares dessas bases, que carregam as instruções para fabricar determinada proteína do nosso corpo. Em cada par de cromossomos nós herdamos 50% do pai e 50% da mãe. De modo que todo mundo tem no núcleo de cada célula 46 cromossomos ou 23 pares e, dentro deles, está a informação associada às nossas características, desde a cor dos nossos olhos e cabelos, ao nosso humor e temperamento, à nossa condição de saúde ou de doença. Resumindo, toda informação sobre quem nós somos e nossas potencialidades estão armazenadas, enquanto informações, codificadas através de sequências de DNA que formam nossos genes.

As informações contidas nos genes podem ser copiadas para fabricar proteínas específicas como as enzimas, proteínas musculares, do sistema imune, da tireoide, dos olhos e do corpo inteiro. O que é chamado de genoma é toda a informação genética herdada dos nossos pais e que estão armazenadas nos 23 pares de cromossomos no interior de cada célula. Observe que o fato de termos herdado dos pais essa gigantesca biblioteca em que há bilhões de informações sobre toda a história evolutiva da humanidade fez com a ciência se desenvolvesse com base no determinismo genético. Ou seja, vamos repetir na vida, para o bem ou para o mal, o que foram os nossos pais.

O determinismo genético torna a vida sem graça, sem motivação. Faça o que você fizer, no final, estará reproduzindo o passado, moldado pelas experiências que nossos pais viveram. De fato, herdamos traços físicos, bem como trazemos uma propensão genética de produzirmos os mesmos tipos de proteínas que foram produzidas por nossos pais e que os levaram a ter uma vida saudável ou doente. No entanto, a Epigenética mostra que podemos decidir seguir um novo caminho daquele que foi seguido pelos nossos pais e podemos aperfeiçoar a forma como a nossa genética se expressa, produzindo novos tipos de proteínas, mais saudáveis.

O pesquisador Ernest Rossi, em seu livro *The Psychobiology of Gene Expression (*A Psicobiologia da Expressão Genética*)* afirma: "Nossos estados subjetivos da mente, conscientemente motivados por comportamentos, e a nossa percepção do livre arbítrio pode modular a nossa expressão genética e otimizar a nossa saúde." Rossi é citado pelo Dr. Joe Dispenza no livro *You are the Placebo,* que complementa:

Os indivíduos podem alterar seus genes durante uma única geração, de acordo com descobertas científicas recentes. Enquanto o processo da evolução genética pode levar milhares de anos, um gene pode, com êxito, alterar a forma como se expressa através de uma mudança de comportamento ou de uma nova experiência, em minutos e, assim, passar essa alteração para as futuras gerações.

Epigenética significa além da genética e mostra que a nossa herança genética é uma possibilidade, mas não uma determinação. Cada nova geração tem a oportunidade de aperfeiçoar o que foi feito pelas gerações anteriores e, deliberadamente, escolher hábitos e comportamentos mais saudáveis que potencializem o que a pessoa tem de melhor e, assim, contribuir para que cada nova geração seja melhor que a anterior. "Na verdade, os genes contribuem com nossas características, mas não as determinam", relata Dawnson Church, Ph.D no seu livro *Genie in your Genes* (*Um gênio nos seus genes*), citado por Dispenza. "As ferramentas da nossa própria consciência, incluindo nossas crenças, orações, pensamentos, intenções e fé, frequentemente estão mais associadas a nossa saúde, longevidade e felicidade do que aos nossos genes", conclui Dawson.

Viver sempre nos mesmos ambientes e conviver sempre com as mesmas pessoas fará com que seu mundo exterior se confunda com seu mundo interior. Ouse diversificar suas possibilidades. Invista mais no seu mundo interior para que um mundo novo possa se abrir para você.

Como criar um novo eu

A busca por conhecimentos que possibilitam entender a alma humana e que empoderam as pessoas a acessar as suas potencialidades e recursos é algo, para mim, apaixonante. Quando olho para trás e vejo o caminho que percorri até aqui, vejo quanto o ser humano é mutável e traz dentro de si o potencial inato de evoluir, de se reinventar e viver uma vida com propósito, atribuindo novos significados, estruturando novos programas no cérebro e expressando uma nova genética.

Periodicamente, tenho intercambiado conhecimentos com grandes nomes da ciência com quem sempre aprendo muito e me atualizo nos conhecimentos que compartilho com amor, com as pessoas que acompanham o meu trabalho. É uma grande alegria para mim ver uma pessoa se movimentando no sentido de se empoderar e deixar de ser vítima de memórias passadas relativas a experiências negativas. Sei também que o caminho do aperfeiçoamento é diário. Em 2013 e 2014, tive a oportunidade de participar do Congresso de Medicina Quântica do Havaí, onde pude conhecer o doutor Joe Dispenza pessoalmente e, depois, participar do Workshop intensivo com ele na Califórnia, em Long Beach. Ele é um dos expoentes na pesquisa sobre o efeito placebo que também é um dos temas pelos quais sou apaixonado.

Outro grande pesquisador do qual também acompanho o trabalho é o Dr Herbert Benson, de Harvard. Ele costuma chamar o efeito placebo de bem-estar evocado. O efeito placebo revela a capacidade que temos de nos autocurar ao tomar um medicamento placebo, sem qualquer princípio ativo capaz de curar e, no entanto, nos curamos. O efeito placebo também vem sendo constatado em cirurgias falsas ou aplicação simulada de acupuntura que também provocam curas sem que nenhuma cirurgia tenha sido feita, nem agulhas de acupuntura aplicadas.

Estou convencido de que ao integrarmos os conhecimentos da Física quântica, da Neurociência e da Epigenética aplicadas à transformação bioquímica e energética do corpo, associadas ao efeito placebo, podemos nos empoderar e nos reinventar e, assim, criar um novo eu, uma nova personalidade, que manifesta uma nova realidade pessoal. Vou fazer uma síntese do que há de mais novo nas pesquisas para conduzir você nessa jornada.

O objetivo é que você tenha clareza de que o que manifesta na sua vida é aquilo que você acredita. A Epigenética mostra que o código do nosso DNA nunca muda, no entanto, cada gene pode expressar-se de milhares de formas, através de variações padronizadas de sequências e combinações. As mesmas possibilidades também temos no cérebro, tomando como referência as redes neurais que são sequências de neurônios que também podem se combinar de milhares de formas diferentes. A compreensão de que cada gene, assim como cada rede neural, pode se expressar de milhares de formas diferentes, abre as portas para acessarmos um universo de novas possibilidades dentro de nós.

Fique certo de que se você quer dar um novo rumo à sua vida, essa possibilidade já existe e está adormecida dentro de você, esperando que você se conecte a ela. Para compreeender como você pode acessar essa possibilidade no futuro, vamos entender como o seu corpo-mente funciona quando você se cura tomando um placebo, como uma pílula de farinha, por exemplo. Eu peço que você agora imagine uma situação em que você se sente desconfortável, angustiado ou com medo só de lembrar. Por exemplo, andar de avião ou de elevador, falar em público, nadar... etc. Dependendo do nível de desconforto, de medo ou até mesmo de pânico que você possa ter, o seu sistema nervoso autônomo vai entrar em cena, a amígdala dispara, e seu coração tende a acelerar, e você pode começar a suar, a ter calafrios, náuseas e até aumento de temperatura corporal, entre outros distúrbios possíveis.

O que aconteceu, como já falamos antes, é que o cérebro não faz diferença entre viver uma experiência ou apenas imaginar que está vivendo. Você vai ativar a mesma rede neural associada àquela experiência e vai convidar os hormônios do estresse, cortisol, adrenalina e noradrenalina, que atuarão acelerando os batimentos cardíacos e a respiração, aumentando a pressão sanguínea e tensionando os músculos. Observe que o corpo reviveu e ressentiu a experiência apenas lembrando-se de dela. Nesse caso, você trouxe para o presente as mesmas condições bioquímicas e energéticas que você viveu no passado. É comum pessoas com depressão estarem revivendo experiências negativas e condicionando o corpo através da autossugestão e do significado que ela atribuiu à experiência que viveu.

Quanto maior for o significado emocional, mais intensas serão as reações e maior o nível de estresse. A amígdala será acionada e a sensação de medo e ansiedade tenderão a aumentar. Observe que a lembrança de uma situação externa, bem como a perspectiva de reviver a experiência, condicionou o corpo a se comportar como se de fato estivesse acontecendo. Observe que há três componentes desencadeadores dessa situação que são os mesmos componentes que desencadeiam o efeito placebo ou o bem estar evocado. Eles são o condicionamento, a expectativa e o significado atribuído à experiência.

No condicionamento, o sistema nervoso autônomo é ativado, mudando a fisiologia corporal através de um pensamento que desperta no corpo determinadas emoções. Isso faz com que, sempre que você pense na situação, a mesma química do estresse inunde o seu corpo, condicionando-o, viciando-o.

O segundo elemento é a expectativa que leva você a pensar que, no futuro, a mesma experiência se repetirá como no passado. No seu painel mental, essa realidade vai sempre se repetir sem que você imagine que uma possibilidade diferente possa vir a se manifestar. Com isso, você fica prisioneiro do passado.

O terceiro elemento é o significado que você atribui à experiência. Imagine que você passou por uma decepção no passado da qual se culpa por isso. Ao se culpar, você está dizendo a você que foi o responsável pela situação e isso te faz ficar com medo de no futuro repetir a experiência passada. Em função do significado que você atribui a uma experiência, aumenta o nível de autossugestão que faz aumentar a expectativa de que aquilo se repita, assim como aumenta o condicionamento emocional do seu corpo em relação a essa expectativa.

Doutor Joe Dispenza relata um caso clássico na Medicina que ilustra esses três elementos e mostra como age o efeito placebo, publicado em 1957, pelo Psicólogo Bruno Kloper, na Universidade da Califórnia, em Los Angeles (UCLA). Ele relatou que um paciente possuía um câncer em estado avançado nas glândulas linfáticas, com tumores do tamanho de uma laranja. Os tratamentos convencionais não funcionavam. No entanto, o paciente descobriu que o hospital em que estava internado havia sido escolhido para testar uma nova droga chamada Krebiozen, feita a partir do sangue de cavalo que acreditava-se ser a grande novidade na cura do câncer. Por ser um paciente terminal, ele não se encaixava nos testes com a droga que exigia que os pacientes tivessem uma expectativa de vida de pelo menos 3 meses.

O paciente ficou em um estado de tamanha excitação e expectativa com relação à droga que convenceu o seu médico, o Dr. Philip West, a prescrever o novo remédio para ele. Ele recebeu uma injeção de Krebiozen na sexta-feira e, na segunda, ele caminhava pelo hospital sorridente, feliz e parecia um novo homem. O que aconteceu é que em três dias os tumores reduziram pela metade. Em 10 dias, ele teve alta e retornou para casa, curado. O impossível parecia haver acontecido. No entanto, dois meses depois foi divulgado na mídia que os experimentos feitos com Krebiozen, em 10 hospitais, havia sido um fracasso. A notícia chegou até o paciente que ficou sabendo que o medicamento era inútil contra o câncer e rapidamente o câncer voltou a tomar conta do seu corpo novamente.

O médico, então, intuiu que o resultado obtido pelo paciente, que o fez se curar, devia ter sido um efeito placebo e, considerando que o paciente estava novamente prestes a morrer, não custava nada fazer um teste. Assim, o médico disse ao paciente que na verdade não levasse em consideração o que havia sido divulgado na mídia, pois o fato de ele ter tido uma recaída deveu-se ao fato de que o Krebiozen que ele havia tomado era de um lote que havia sido falsificado. O médico disse a ele que agora estava com uma nova versão da droga que era duas vezes mais forte que a anterior e que já estava a caminho do hospital.

O paciente ficou novamente numa grande expectativa de ser curado. Poucos dias depois, o médico aplicou-lhe uma nova injeção, cujo conteúdo era apenas água destilada. O efeito foi mais uma vez incrível. Parecia um milagre. Os tumores desapareceram e o paciente voltou para casa curado e ficou durante um período de dois meses sem nenhum sintoma de câncer. Foi quando os jornais anunciaram a conclusão final da Associação Médica Americana que atestou que o Krebiozen não tinha nenhum princípio ativo capaz de curar o câncer e que o medicamento teria sido um engano, uma fraude. A "droga milagrosa" continha apenas um óleo mineral com aminoácidos, e os donos da empresa foram indiciados. O paciente, desapontado com os resultados e não mais acreditando que podia se curar, veio a falecer dois dias depois de haver retornado ao hospital.

Veja o erro, ou qualquer situação negativa vivida no passado, como os mestres do seu aperfeiçoamento. Errar, perder, decepcionar-se, faz parte do jogo da vida. Tire as lições que precisa e evolua sempre. Grandes oportunidades aparecem disfarçadas de grandes desafios. Oportunize-se!

O que aconteceu com o paciente que morreu de câncer, após ter se curado duas vezes tomando um medicamento falso, é apenas um entre milhares de casos que acontecem todos os dias pelo mundo afora. O Dr. Herbert Benson revela em seu livro *A medicina espiritual*, que o simples fato de um paciente marcar uma consulta com um médico da sua confiança, faz com que no dia anterior à consulta, o sistema imunológico do paciente já esteja mais fortalecido. Ele começa a se curar mediante a expectativa da cura. Ele também investigou alguns medicamentos químicos que foram retirados do mercado pela própria indústria farmacêutica, por reconhecer não haver nenhum princípio ativo capaz de curar. No entanto, em sua pesquisa, Benson identificou casos em que esses medicamentos chegaram a curar entre 70% e 90% dos casos, mesmo sendo medicamentos considerados ineficazes pela própria indústria farmacêutica.

Herbert Benson costuma dizer que a história da Medicina se confunde com a história do efeito placebo. Ou seja, como nenhum medicamento químico é fabricado com o intuito de combater as causas e só trata os sintomas, na verdade, quando as pessoas se curam não é devido à capacidade de cura dos medicamentos, mas sim induzidos pelo efeito placebo que, diante da expectativa de cura e confiança que a pessoa possui no médico, cria as condições internas para que o corpo se autocure como aconteceu com o paciente que tomou o Krebiozen, um remédio falso, e se curou duas vezes milagrosamente de um câncer.

Se você já tomou alguma vez antibiótico para problemas de garganta sem ter feito exames para identificar se a infecção era devido a vírus ou bactéria, possivelmente deve ter se curado devido ao efeito placebo, ou seja, se autocurou. O que acontece é que hoje sabe-se que 98% aproximadamente das infecções na garganta é devido a vírus e que os antibióticos podem ser eficazes contra bactérias, mas são ineficazes contra vírus. No entanto, o interesse da indústria farmacêutica é induzir os médicos a serem vendedores de medicamentos independentemente de curarem ou não.

Certa vez, eu dei uma palestra em Chapecó, uma cidade de Santa Catarina, e falei sobre essa questão de se receitar antibióticos indiscriminadamente para problemas de garganta. Ao final da palestra, uma das pessoas que assistia me confidenciou que já havia trabalhado para uma grande multinacional da indústria farmacêutica e, nessa época, houve um grande investimento na divulgação de um antibiótico que deveria ser receitado ao menor sinal de dor de garganta. Ela me contou que, um dia, foi visitar um consultório e o médico a questionou dizendo que os problemas de garganta, na sua maioria, são causados por vírus, e aquela propaganda deveria ser revista, pois estava induzindo os médicos a receitarem antibióticos indiscriminadamente.

Ela me contou ainda que como não sabia disso, levou a reivindicação do médico para a diretoria no escritório da empresa que era em Curitiba e nada foi feito. O abuso dos antibióticos faz com que estejamos na décima geração dos antibióticos e estejam surgindo as superbactérias imunes a todos os antibióticos existentes, pois desenvolveram resistência a esses medicamentos.

A *Clostridium difficile,* como vimos, vem atacando mais de 300.000 pessoas por ano nos Estados Unidos devido à cultura de se tomar antibiótico indiscriminadamente. A minha sobrinha Michelline, que contribuiu com a produção desse livro, ao ler o caso de Krebiozen, me contou que a mãe dela, a minha irmã mais velha Etienne, que já não está nessa dimensão, costumava dar anticoncepcional para o marido que costumava passar do ponto nas farras e tinha por isso, constantes dores de cabeça. Quando ela não tinha remédio para dor de cabeça, dava a ele o anticoncepcional. Segundo ela, ele costumava perguntar que remédio era aquele, pois havia melhorado rápido da dor de cabeça. Ela, para continuar usando a estratégia em outras oportunidades, nunca revelou que o medicamento mágico era um anticoncepcional.

Estou te contando essas histórias para que você vá processando dentro de você o que de fato cura. O que a ciência está revelando é que não há no mundo alguém, como médico, terapeuta, padre, pastor ou quem quer que seja, com o potencial de cura do nosso corpo. No entanto, o que estou querendo é que você perceba que as ferramentas que estão sendo usadas para que o placebo funcione são as mesmas que você pode usar para criar uma nova realidade futura e próspera para você. São as mesmas ferramentas que possibilitam a você imaginar-se com um novo eu, sendo o artesão, a artesã, consciente do seu próprio destino, vivendo sempre de forma otimista e focando sua energia na busca de soluções, ao em vez de exaurir as suas energias olhando para os problemas.

Como vimos, tendemos a repetir um mesmo padrão de comportamento negativo em função do condicionamento emocional do nosso corpo, da expectativa que geramos de que aquele acontecimento volte a acontecer e do significado que atribuímos ao fato, o que fortalece em nós a capacidade de autossugestão. Observe que, interiormente, nós estamos pedindo para que aquilo volte a acontecer. Lembre-se de que manifestamos nas nossas vidas o que nós somos, o que pedimos. Tem uma passagem bíblica que reflete isso: "Por isso lhes digo: Peçam, e lhes será dado; busquem, e encontrareis; batam, e a porta lhes será aberta. Pois todo o que pede, recebe; o que busca, encontra; e aquele que bate, a porta será aberta." (Lucas 11:9,10).

Observe que no caso do Krebiozen, o paciente implorou para usar um medicamento que não se destinava a ele. No entanto, a vontade de se curar era tanta que ele fervorosamente fez com que o seu sistema nervoso autônomo ativasse no cérebro as redes neurais associadas àquela realidade futura. Com as redes neurais ativadas, o cérebro se encarregou de enviar mensageiros químicos ao corpo, fazendo com que a informação associada ao estado de cura fosse levada para os receptores das células que enviaram proteínas encarregadas de entrar no núcleo, despertar o DNA e reproduzir a informação armazenada nos seus genes, produzindo as proteínas essenciais à sua cura.

A informação contida no gene é copiada com as instruções para que novas e saudáveis proteínas sejam produzidas no interior das células, fortalecendo o sistema imunológico e fazendo com que as células *natural killers*, que são os glóbulos brancos, células exterminadoras naturais, entrem em cena e exterminem as células cancerígenas.

O efeito placebo, me faz lembrar outra passagem bíblica em que Jesus andava no meio de uma multidão onde muitas pessoas queriam ser curadas por ele. No meio dessa confusão estava uma mulher que há doze anos sofria de hemorragia e que já havia sofrido bastante nas mãos de muitos médicos e gasto tudo que tinha sem se curar. Ela então, ouvindo falar de Jesus, resolveu ir até ele e, no meio da multidão, vindo por trás dele, apenas tocou-lhe o manto, pois acreditava que apenas tocando nas vestes de Jesus seria curada. De fato, imediatamente, a sua hemorragia cessou e ela sentiu no corpo que estava curada do seu mal. Jesus, sentindo o fluxo de energia que havia emanado dele, pergunta quem havia tocado as suas vestes. Foi quando a mulher amedrontada e trêmula contou-lhe a verdade e Jesus disse: "Filha, a tua fé te salvou; vai-te em paz, e fica livre desse teu mal." (Marcos 5:20-34).

Em 2012, dei uma aula no curso de pós-graduação em Cuidados Integrativos no departamento de Neurologia da Unifesp, em São

Paulo, e na ocasião aproveitei para assistir a uma aula de um médico que falou que já existiam mais de 7.000 trabalhos de cientistas relacionando espiritualidade e cura com resultados que superavam qualquer tipo de tratamento alopático. Fiquei surpreso com a informação que não conhecia e perguntei porque esse tema não fazia parte dos congressos médicos. Ele me revelou que fazia parte da comissão que organizava os congressos de Medicina a nível nacional e que sempre sugeria o tema, mas não passava, pois os congressos médicos são bancados pela indústria farmacêutica cujo interesse é a venda de medicamentos.

Todo o conhecimento científico que temos hoje aliado aos conhecimentos ancestrais das tradições espirituais do Ocidente e do Oriente apontam para o mesmo caminho. A cura verdadeira, profunda, está dentro de nós e, se queremos curar as nossas vidas, o caminho é curar a nossa alma que está associada a toda a programação que é acionada pelos nossos pensamentos, sentimentos, atitudes, comportamentos, ações, escolhas e percepções que estruturam nosso caráter e projetam a nossa realidade pessoal. No entanto, o processo de mudança, de transição para um novo eu, requer que treinemos fazer pedidos conscientes, vibrando em um novo estado de ser.

Para isso, os nossos pensamentos precisam estar alinhados com os nossos sentimentos. Esse alinhamento é que vai determinar a intensidade da nossa fé para que possamos superar o condicionamento subconsciente e inconsciente associado a velhos programas que fazem com que sejamos reféns dos ambientes em que vivemos e que não possamos expressar a nossa verdade interior. Por isso, recomendo que você se prepare para a cura da sua alma. Fortaleça-se interiormente, foque no seu propósito de vida e comece a utilizar as ferramentas do efeito placebo para manifestar a vida dos seus sonhos.

Comece a condicionar o seu corpo emocionalmente imaginando aquilo que quer realizar. Entre no fluxo da gratidão conectado à expectativa de que tudo já aconteceu e, por último, procure convencer-se interiormente da sua meta, atribuindo o melhor e mais poderoso significado possível para que fortaleça a sua capacidade de autossugestão. Contra o seu objetivo é importante estar consciente que o maior obstáculo será você mesmo, o seu subconsciente que vai querer provas concretas de que está preparado para mudar. Faz parte. A superação dessa etapa vai fortalecer ainda mais a sua mente.

O outro obstáculo é o meio ambiente exterior, o vínculo emocional que você criou com amigos e familiares. É comum que, quando mudamos, as pessoas se sintam inseguras e nos questionem. É comum as cobranças existirem. Também faz parte. Quando essa etapa for superada, a sua alma ficará ainda mais forte. Com o tempo, as pessoas, o mundo e, sobretudo você, vão se acostumar a conviver com o seu novo eu e a transformar problemas em oportunidades. No próximo capítulo vou dar mais detalhes de como a mudança acontece no corpo e na mente e, no Capítulo 10, também vou falar como você poderá ter as células-tronco como suas aliadas para a cura da sua alma e da sua vida.

A cada dia você tem nas suas mãos uma avançada tecnologia que permite criar qualquer coisa que você imagine. Foque sua atenção e confie no suporte inteligente que o Universo te proporciona. Experimente manter uma vibração elevada, ativada dia e noite naquilo que quer realizar, e veja o mundo se manifestar de acordo com o que acredita. Expresse-se!

Afirmações de cura

1. Eu tomei a decisão de cuidar de mim com zelo, com amor e muito carinho.
2. Eu tomei a decisão de me curar de mim mesmo. Eu me amo, eu me aceito, eu me perdoo, eu mereço ser feliz.
3. Eu estou preparado para operar uma grande transformação na minha vida. Agora eu já sei o caminho e tenho a motivação para seguir.
4. Eu tomei consciência de que fui programado para ser um vencedor. No jogo da vida eu agora aprendi a jogar para ganhar.

5. Eu exercito diariamente um diálogo amoroso com as minhas células e com todos os seres que habitam o meu corpo. Eu vivo em comunhão comigo mesmo.

Lembre-se de fazer sempre as afirmações em um estado de coerência cardíaca. Isso vai potencializar os resultados e treinará emocionalmente seu corpo para o estado futuro desejado e já alcançado. Lembre-se de exercitar manter-se em estado de gratidão para potencializar todas as suas ações.

Avante!

Capítulo 9

A CONEXÃO COM SEU MUNDO INTERIOR

> *O que você chama de realidade é a forma com que o mundo se expressa guiado por suas crenças dominantes e o que você acredita. O seu mundo é um espelho do seu corpo-mente. Treine mudar a sua vibração interior e sinta o mundo mudar com você.*
>
> WALLACE LIMA

Como vimos no capítulo anterior, nos estudos sobre o efeito placebo, quando conseguimos condicionar o nosso corpo emocionalmente, associado a uma grande expectativa, fortalecida pelo significado que atribuímos a determinada situação, ela tende a acontecer no futuro. Ou seja, quando o nosso mundo interior está totalmente conectado a uma dada realidade, ela fatalmente vai se manifestar no mundo exterior.

No exato momento em que terminei de escrever a reflexão acima, tive a intuição de buscar outras referências bibliográficas para fundamentar o efeito placebo. Dei uma olhada rápida na estante e, não localizando o livro do Dr. Herbert Benson, resolvi pegar um livro que havia comprado no aeroporto em uma das viagens que fiz recentemente, *Cura sem Remédios, do Dr. Albert Amao*. Eu havia iniciado a leitura do primeiro capítulo deste livro ainda durante o voo e deixei para ler na íntegra em outro momento. Havia selecionado esse livro como uma possível fonte de pesquisa, mas ainda não o tinha aberto até então.

Como costumo fazer nesses momentos, abri o livro aleatoriamente no capítulo 14 que fala do trabalho de Émile Coué, um farmacêutico e psicólogo francês que viveu entre os séculos XIX e XX (1857-1926) e é considerado o pai do condicionamento aplicado ou psicologia aplicada. O título do capítulo é A autossugestão e o efeito placebo, o qual abre com a seguinte frase de Émile Coué: "A Autossugestão é um instrumento que possuímos ao nascer e, nesse instrumento, ou melhor, nessa força, reside um poder maravilhoso e incalculável".

O efeito placebo é um dos assuntos que mais me estimulam a estudar. O meu objetivo é compreender, em detalhes, a chave da autocura. Nesse momento, a minha vibração dominante, o meu estado de ser, a minha motivação de trazer clareza a esse tema mágico me levou a abrir um livro que ainda não havia consultado, justamente no capítulo que trata do tema que estou abordando aqui. Isso é o que chamamos de sincronicidade e que o pesquisador Rollin McCraty, do Instituto HeartMath, também associa à intuição não local, relacionada à inteligência do coração. No livro Heart Inteligence, ele cita o Doc Childre, fundador do Instituto, que define a inteligência do coração como o "fluxo de consciência, entendimento e orientação intuitiva que nós experienciamos quando nossa mente e emoções expressam um alinhamento coerente com o nosso coração".

Entendendo o chamado intuitivo, resolvi parar de escrever e li alguns capítulos do livro que traz importantes reflexões sobre a cura através do efeito placebo e também faz associações com a Lei da Atração. No capítulo 17, o autor abre com a frase de William Walker Atkinson, "O pensamento é uma força - uma manifestação de energia que possui um poder de atração semelhante ao de um imã." Ele concebe que a essência da Lei da Atração está na afirmação bíblica "Porque como ele pensa no seu coração, assim ele é" (Provérbio 23:7).

As pesquisas do Instituto HearthMath mostram que, no nível físico, o coração não só possui uma inata forma de inteligência, como também está envolvido intimamente em como nós pensamos, sentimos e respondemos ao mundo. Os estudos mostram que só quando os nossos sentimentos estão alinhados com os nossos pensamentos é que emitimos um sinal claro que reproduz a nossa intenção e vontade, fazendo com que manifestemos a realidade que desejamos. O coração é sensível aos sentimentos e emoções elevadas e funciona como um amplificador daquilo que pensamos. É por isso que a autossugestão é tão poderosa nos processos de autocura e transformação pessoal.

O trabalho de Emile Coué com autossugestão o levou a criar um método chamado de Autossugestão Consciente. O Dr. Albert Amao conta que Coué motivou-se a criar esse método após ter convencido uma pessoa a tomar pílulas de açúcar dizendo que era um remédio eficaz. A pessoa, depois de haver se curado, acreditou que tinha tomado uma droga milagrosa. Ele acreditou que a cura havia se dado pelo fato de o paciente acreditar no remédio associado ao desejo do paciente de recuperar o bem-estar.

O método de Coué consistia na repetição constante de afirmações positivas. O trabalho dele teve impacto na vida de milhões de pessoas, principalmente nos EUA e na Europa, e teria sido responsável por milhares de curas extraordinárias no início do Século XX. Com os resultados que obteve, de acordo com Dr. Amao, "Coué concluiu que não havia necessidade de um intermediário entre o paciente e a doença: o paciente poderia aplicar as suas próprias sugestões e curar a si mesmo. Desse modo, qualquer pessoa poderia usar a autossugestão para curar a si mesmo."

O Dr. Rick Ingrasci, citado pelo Dr. Amao, afirma que "O efeito placebo apresenta uma prova expressiva de que toda cura é, em sua essência, uma autocura", que é o que acredita também Coué ao afirmar "De qualquer modo, o paciente sempre faz sua própria sugestão. A necessidade de um praticante externo é apenas um auxílio para a aceitação de uma sugestão". Isso me fez lembrar de uma frase do filósofo francês Voltaire que disse que "A arte da Medicina consiste em distrair o paciente enquanto a natureza cuida da doença."

O Dr. Amao reforça esse sentimento quando afirma que *"o papel do agente de cura é ajudar o paciente a curar a si mesmo."* Mesmo tendo contribuído com a cura de milhares de pacientes, Coué atribuía o mérito aos próprios pacientes. De acordo com o Dr. Mao, o sistema terapêutico de Coué tinha por base dois princípios: o primeiro é que a mente só pode ter um pensamento concentrado e constante e que, ao longo de certo intervalo de tempo, será interiorizado na mente subconsciente.

Desse modo, o processo de manifestação de determinada realidade passa pela nossa capacidade de imaginá-la, tanto quanto possível, para que ela seja interiorizada, associada a uma forte crença de que ela é possível. Einstein certa vez afirmou que "a imaginação é mais importante que o conhecimento." O irlandês Joseph Murphy, um dos expoentes do movimento Novo Pensamento, afirmou que "o poder da cura está na sua mente subconsciente."

Só no agora você pode construir infinitos novos futuros para você. O seu cérebro funciona como um projetor das imagens que você acredita interiormente. Crie novas imagens e motivações e acesse um futuro novo em folha para você, agora! Futurize-se!

Como temos visto, as pesquisas científicas deixam claro que projetamos na nossa realidade pessoal aquilo que acreditamos. A Epigenética nos mostra que são nossas crenças e percepções que modelam a nossa biologia. Os estados sobre o efeito placebo mostram que a cor, a forma, o sabor e até mesmo o nome de um comprimido influenciam no resultado do tratamento. Sabe-se também que tomar uma injeção causa uma expectativa maior de cura que tomar um comprimido nos EUA e uma expectativa menor na Alemanha. Os americanos foram condicionados a acreditar no poder das injeções desde cedo. Pesquisadores descobriram que pílulas placebo amarelas, são mais eficazes no tratamento da depressão, enquanto pílulas vermelhas levam os pacientes a ficar mais alertas e acordados. Comprimidos verdes são os melhores para aliviar ansiedade, enquanto as pílulas brancas dão melhores resultados com problemas estomacais, como úlceras. Quanto mais pílulas de placebo tomadas por dia, melhor será o resultado do tratamento. Pílulas que possuem uma marca carimbada sobre elas produzem melhores resultados do que aquelas que não têm nada escrito. Cirurgias placebo são tão eficazes quanto cirurgias reais.[38]

Uma pesquisa realizada com jovens na Irlanda mostrou que o fato de eles acreditarem que estavam tomando bebida alcoólica fez com que se comportassem como se estivessem alcoolizados mesmo tendo tomado apenas refrigerante com gelo e limão num copo que se usava para tomar bebidas alcoólicas. De fato, a cura pode acontecer em rituais ou cultos religiosos, pela identificação com um objeto ou um lugar sagrado. Até mesmo um medicamento placebo que a pessoa toma sabendo que é um placebo é capaz de curar.

Parece mesmo que a nossa capacidade de autossugestão é infinita. Tudo aquilo que somos capazes de acreditar através da autossugestão imprime uma memória no nosso subconsciente que fatalmente vai se manifestar nas nossas vidas. A grande questão é como utilizar esse potencial de projetar realidades do nosso subconsciente para criar novas programações em que exercitemos o autocuidado, a autoajuda e o empoderamento pessoal, de modo a criar uma realidade pessoal na qual possamos expressar as nossas potencialidades, bem como adquirir novas habilidades e viver de forma próspera e saudável motivados por valores elevados em uma lógica sustentável e inspirados por um propósito maior de servir?

O primeiro passo é entender que hoje respondemos por uma programação subconsciente que, em uma pessoa acima dos 35 anos, controla 95% das suas ações e tomadas de decisão no piloto automático. Restam então 5% em que podemos convidar o diretor-geral do cérebro para nos ajudar nessa empreitada. O diretor-geral é o lobo frontal ou córtex frontal, situado atrás da nossa testa, é o nosso centro criativo. É através dele que processamos novos aprendizados, tomamos decisões conscientes, criamos novos sonhos e turbinamos nossas intenções.

---

[38] 9 bizarros fatos sobre o efeito placebo!. *Hypescience*. Disponível em: <http://hypescience.com/9-fatos-incriveis-sobre-o-efeito-placebo/>. Acesso em: 15 ago. 2017.

Ele é considerado a morada da nossa consciência. É através dele que podemos observar nossos pensamentos, sentimentos e ações e direcioná-los para a realização do nosso propósito de vida. Um dos aspectos indispensáveis para uma nova programação subconsciente é treinar a mente para viver mais no agora, no momento presente. Acessar a inteligência do coração através de práticas que possibilitem diminuir a frequência das nossas ondas cerebrais para que possamos ser os senhores e senhoras das nossas emoções e não escravos delas.

As pesquisas do Instituto Heartmath revelam que emoções negativas ou estressantes deixam o sistema nervoso fora de sincronia e o ritmo do coração fica desordenado. Isso determina o aumento do estresse no corpo físico e impacta as funções mentais negativamente. No entanto, emoções positivas como amor, compaixão, gratidão e apreciação aumentam a ordem e o equilíbrio no sistema nervoso e produzem ritmos suaves e harmoniosos no coração. Esses ritmos harmoniosos reduzem o estresse e aumentam a habilidade pessoal de pensar com clareza e de autorregular as nossas respostas emocionais.

Quanto mais investimos na nossa inteligência emocional mais somos guiados pela sabedoria e pela inteligência do coração. Sem a influência da inteligência do coração, nossas mentes são levadas facilmente por emoções negativas como raiva, medo, culpa, insegurança, complexo de inferioridade, entre tantas outras reações que roubam nossa energia vital. Treinar o autocontrole emocional evita que você viva numa montanha russa dominado pelas suas emoções, possibilitando, assim, o acesso à inteligência do coração, bem como a amplificação da sua clareza mental e da sua intuição.

Desenvolver a habilidade de lidar com as nossas emoções, não reprimi-las e buscar transformá-las em sentimentos e percepções de alta qualidade, ressignificando-as, é essencial para desenvolvermos uma consciência individual saudável e contribuirmos para um mundo melhor. O mau gerenciamento das emoções comumente leva as pessoas a viverem num estado de culpa, raiva, ressentimento, ódio e vingança, criando ciclos negativos intermináveis na vida das pessoas e do nosso planeta.

Ao ouvir a voz do nosso coração tendemos a tomar decisões mais tranquilas, melhores para nós e mais inclusiva para as demais pessoas e a natureza. Já a voz da nossa mente costuma operar racionalizando nossos desejos e ações. Com a prática, vamos tendo discernimento entre a voz do coração e a voz da mente. Eles operam em frequências diferentes. Na frequência do coração tendemos a agir pensando na totalidade da situação com um profundo senso de justiça, equilíbrio e integridade.

Uma forma eficaz de transmutar emoções aflitivas é trazer o coração para vibrações elevadas, através da prática da gratidão, da autocompaixão, da compaixão pelos outros, da bondade, da gentileza e da apreciação. Essas reflexões traduzem um pouco do que aprendi lendo livros, praticando e interagindo com os pesquisadores do instituto Heartmath, da Califórnia. O Doc Childre, o fundador do Instituto Heartmath afirma: "A inteligência do coração canaliza o poder do amor da fonte Universal sobre nossas vidas, e de forma acessível e prática nos informa a direção certa para a nossa realização."

O convite é que busquemos todos os dias treinar o nosso corpo e a nossa mente emocionalmente para que uma nova programação subconsciente seja instalada e possamos mudar, assim, nosso estado de ser e a nossa assinatura eletromagnética. É importante lembrar que é a nossa vibração dominante, determinada pelos nossos pensamentos e emoções recorrentes, que vão determinar a frequência da nossa antena parabólica pessoal e intransferível. O sinal acessa o campo da consciência universal que usa o nosso cérebro como veículo da manifestação da realidade que co-criamos junto com a inteligência maior.

A informação já existe, latente, adormecida no campo quântico da consciência enquanto potencialidade. Ao emitirmos a nossa assinatura eletromagnética, numa frequência específica, nos conectamos a essa possibilidade. A consciência universal, o campo quântico, Deus, ou o nome que queira dar, através do nosso cérebro colapsa as possibilidades quânticas, fazendo com que uma nova realidade se manifeste diante de nós. É assim que co-criamos a nossa realidade pessoal mediante o que acreditamos. Funcionamos como rebatedores de *Wi-Fi* da informação que existia potencialmente e que acessamos através da nossa vibração, do nosso sinal, associado ao nosso eu. À medida que treinamos emocionalmente o nosso corpo-mente, podemos emitir um sinal relativo ao nosso novo estado de ser e assim projetamos uma nova realidade pessoal associada ao nosso novo eu.

O sentido da vida está em viver no presente, intensamente. Do ponto de vista quântico, passado e futuro são possibilidades que só podem ser acessadas no presente. É no aqui e agora que criamos as melhores condições para cantarmos a canção da nossa existência. Presentifique-se!

É impossível uma pessoa viver no presente quando está no estado de estresse. No estado de estresse a frequência das ondas cerebrais medidas por aparelhos como eletroencefalograma estão na frequência beta mais alta e, nessa frequência, a pessoa costuma estar com a cabeça no passado, pensando em problemas, ou no futuro, preocupada com alguma coisa que ainda vai acontecer.

Nesse estado, a pessoa vive no piloto automático, guiada pelo subconsciente. As ondas beta estão associadas ao estado de vigília. As ondas beta mais lentas predominam quando estamos mais relaxados e com a atenção focada em algo como ler um livro ou assistir a um filme. Nas ondas beta de média frequência, estamos com nossa atenção focada e processando estímulos que vêm de fora e fazendo associações com experiências já vividas. Quando estamos operando nas ondas beta, no estado de vigília, nosso mundo interior fica em segundo plano. O mundo de fora está no comando das nossas ações e parece ser mais real que nosso mundo interior. Abaixo das ondas beta lenta, o nosso cérebro passa a operar na frequência ainda mais lenta, a frequência alfa. Nesse estado, ficamos mais relaxados, imaginativos e criativos e passamos a dar mais importância ao nosso mundo interior. Chegamos a esse estado quando meditamos, oramos, ouvimos uma música relaxante com aromas que também relaxam, num ambiente agradável, ou fazemos uma prática que promove relaxamento.

O estado alfa é o primeiro estágio em que nos sentimos mais tranquilos e menos conectados ao mundo exterior. Nesse estado, o lobo frontal fica ativado, e ele começa a reduzir o volume das demais áreas cerebrais pois, no estado alfa, a nossa criatividade aumenta e podemos dar novos comandos para dar início a uma nova atividade que será coordenada pelo diretor-geral. Nesse estado estamos mais susceptíveis a autossugestão do que com as ondas beta.

Por isso, recomendamos que você faça afirmações ou treine criar a sua realidade de forma consciente a partir do estado alfa. Nesse estado, o lobo frontal reduz o volume dos circuitos cerebrais que processam o tempo e o espaço e você sai do modo sobrevivência, de preocupação com o passado ou o futuro e passa a focar sua energia no momento presente.

Descendo um pouco mais na escala da frequência cerebral você acessará as ondas theta. Nesse estado o nosso corpo relaxa mais ainda, como se estivéssemos dormindo, e a nossa mente fica ainda mais alerta. É o estado theta que predomina no cérebro de uma criança entre 1 e 7 anos de idade em que sua criatividade aflora e a sua sugestibilidade é gigantesca. É nesse período que fazemos o *download* de experiências boas ou negativas e que vão nos acompanhar durante nossas vidas, muitas vezes, na forma de crenças limitantes. O estado theta possibilita o acesso direto ao nosso subconsciente, pois a nossa mente analítica não opera neste estado. Estamos livres para criar, para dar um novo significado a programas inúteis e autossabotadores, e estruturar uma nova programação.

Nesse estado, o nosso mundo interior passa a ser mais real que o mundo exterior. De posse da chave para o reino do nosso subconsciente, o nosso lobo frontal se prepara para orquestrar a mudança, a partir dos novos estímulos conscientes, quando tomamos a decisão de mudar nossas vidas. À medida que você, periodicamente, comece a treinar a sua mente para atingir um novo resultado terá a avançada tecnologia do lobo frontal à sua disposição para iniciar uma nova jornada pela vida. De acordo com o doutor Joe Dispenza, a primeira coisa que ele faz é reduzir o volume dos estímulos ao mundo exterior para impedir que você se distraia do seu objetivo. Ele faz isso reduzindo o acesso aos centros sensoriais que possibilitam você sentir seu corpo e fazer associações com os pensamentos acerca da sua identidade e sobre quem você é, bem como, com o centro de processamento do tempo, o lobo parietal. "Porque você pode ir além do seu ambiente, além do seu corpo e até mesmo além do tempo, você será mais capaz de tornar os pensamentos que você está pensando mais reais do que qualquer coisa mais," afirma Dispenza, referindo-se à ação do lobo frontal quando você tomar uma firme decisão de transformar a sua vida e começar a treinar a sua mente com disciplina e para atingir o seu objetivo.

É fundamental que você tenha clareza sobre o que quer realizar, pois no momento em que você começar a pensar sobre essa possibilidade, o seu lobo frontal vai direcionar a intenção para que aquilo se concretize. Essa é a hora de usar a sua imaginação a seu favor, a sua capacidade de autossugestão. Como o lobo frontal tem conexão com todas as áreas do cérebro, ele começará um processo de seleção dos neurônios que vão ativar o estado mental correspondente de modo que a solução referente ao seu pedido seja encaminhada. O papel do lobo frontal será o de silenciar os velhos programas mentais autossabotadores, enfraquecendo as redes neurais associadas a esses programas e ativando novas sequências de neurônios que vão refletir o novo estado mental que você imaginou.

É assim que opera a Neuroplasticidade cerebral em que o cérebro adota uma nova configuração, ativando novas sequências e combinações de neurônios, orquestrada pelo lobo frontal, que tem o papel de coordenar todas as áreas do cérebro para que, de forma integrada, possa reproduzir o seu novo estado mental, associado à nova realidade que você imagina manifestar.

Observe que, para um novo eu emergir, o velho eu precisa silenciar. O seu velho eu equivale aos programas subconscientes e inconscientes que governam sua vida hoje, quando você está no estado de vigília, governado pelas ondas cerebrais beta. Quanto maior for o nível de estresse e preocupação, mais a pessoa será governada pelo subconsciente que chega a ser responsável por 95% das tomadas de decisão de uma pessoa acima de 35 anos.

No estado de preocupação, estresse e carência é praticamente impossível uma nova programação ser instalada no seu cérebro. É como se você guiasse uma bicicleta a 5 km/h em sentido contrário a um vendaval de 95 km/h. A sua intenção consciente de mudar, representada pelos 5% que equivalem à velocidade da bicicleta, vai sucumbir diante da autossabotagem promovida pelo seu subconsciente que equivale à velocidade do vento, contrária à sua intenção.

É por isso que uma nova programação do cérebro precisa ser feita no estado em que o cérebro se encontra operando nas ondas alfa e de preferência nas ondas theta. Nesse estado, o lobo frontal opera reduzindo e até silenciando o volume do seu subconsciente, possibilitando que a sua intenção avance e produza os resultados desejados. À medida que você treina a mente com uma intenção focada no que quer realizar, a sua realidade interior vai se tornando mais real do que qualquer coisa e os seus pensamentos vão se fundindo com a experiência que você quer manifestar. É nesse momento que o seu corpo está sendo treinado emocionalmente para manifestar um novo eu. Os novos neurônios, ativados em novas sequências e combinações passam a espelhar a sua nova realidade e você passa a sentir as novas emoções, associadas ao novo estado que você imaginou manifestar.

O seu cérebro passa a se adequar quimicamente à nova realidade em função dos neurotransmissores liberados pelos neurônios, e o seu corpo também passa a refletir esse estado em função da migração das moléculas da emoção liberadas pelo cérebro com o intuito de comunicar a novidade a cada célula do seu corpo. Essa etapa é fundamental, pois é no interior de cada célula que opera a velha programação a partir do DNA que, através do genes, fornece proteínas específicas associadas à realidade que manifestamos cotidianamente.

O papel das moléculas da emoção, que são pequenas proteínas, chamadas de neuropeptídeos, é levar essa informação até os receptores da membrana celular que levará a nova informação para dentro da célula, através de proteínas, que entrarão no núcleo com o papel de ligar os novos genes associados ao novo eu e desligar os genes associados ao velho eu. Com isso, os nossos genes ativados entram na linha de produção para viabilizar as novas proteínas associadas ao seu novo eu. É quando uma nova jornada evolutiva se inicia.

O cérebro será retroalimentado por essas informações e passará a fortalecer as redes neurais associadas à sua nova realidade, fazendo com que você pense, cada vez mais, em ressonância com o seu novo eu. Os genes desligados referentes ao velho eu são desativados e ficam fracos, perdendo a capacidade de produzir proteínas como antes. E quanto mais você reforça a nova programação, mais fracos eles ficarão e você, finalmente, poderá deixar o seu passado no passado e desfrutar de uma vida nova em que novas possibilidades de manifestar criativamente uma nova realidade estarão ao seu dispor.

Acostume-se a pensar grande. Sinta a grandiosidade do Universo. Ser grande é a sua natureza e também o seu destino. Aproveite para compartilhar seus dons, seus talentos, seus conhecimentos, sua experiência de vida. Se você ainda acredita que não é capaz de fazer isso é porque está pensando pequeno. Engrandeça-se!

Desenvolva sua inteligência espiritual

Já vimos a importância de desenvolvermos a inteligência emocional acionando a inteligência do nosso coração através de práticas como meditação, oração, técnicas de relaxamento, ioga etc. Também vimos que a prática dessas técnicas possibilita trazer o cérebro para operar em frequências mais baixas como as ondas alfa, theta e delta e, assim, acessarmos o nosso subconsciente de modo a ressignificar experiências negativas vividas no passado, bem como, através do treinamento mental adequado, acessar o nosso potencial inato de autocura e de criarmos um novo eu capaz de possibilitar a manifestação de uma realidade pessoal mais saudável, mais criativa, mais próspera e mais feliz.

Para isso, é necessário definir uma estratégia de ação na relação com nós mesmos que permita a instalação de antivírus existenciais que nos previnam dos maus vícios associados a um estilo de vida que não seja saudável e de pensamentos, sentimentos e emoções que bloqueiam nossa criatividade e sabotam o nosso poder pessoal. No intuito de entender melhor a dimensão espiritual da existência e como ter fé, e acreditar em Deus afetam o cérebro humano, muitas pesquisas e estudos vêm sendo feitos nessa área e apontam para um outro tipo de inteligência, chamada inteligência espiritual.[39]

A física e filósofa Dona Zohar escreveu um livro em que aborda a inteligência espiritual e já há várias publicações abordando esse tema. Na entrevista que concedeu à Revista Exame, na sua passagem pelo Brasil, ela explica que a inteligência espiritual está ligada à necessidade de ter propósito na vida. Ela nos orienta no sentido de desenvolver valores éticos e crenças que vão nortear nossas ações. Segundo Zohar,

> *Ter alto quociente espiritual (QE) implica em ser capaz de usar a dimensão espiritual para ter uma vida mais rica e mais cheia de sentido, adequando senso de finalidade e direção pessoal. O QE orienta nossos horizontes e nos torna mais criativos. É uma inteligência que nos impulsiona. É com ela que abordamos e solucionamos problemas de sentido e valor.*

No livro *Como Deus pode mudar sua mente – um diálogo entre fé e Neurociência*, os pesquisadores-doutores Andrew Newberg e Mark Robert Waldman apresentam uma base neurológica para as experiências espirituais e para a fé. Eles mostram que, independente de a pessoa acreditar em Deus ou não, são as suas atitudes perante a vida, no sentido de viver com propósito, e exercitar valores humanos como a prática da compaixão e da empatia que vão ativar as áreas do cérebro associadas a essa inteligência, capaz de proporcionar a força necessária que faz a vida valer a pena.

---

[39] NAIDITCH, Suzana. Deus e negócios. *Revista Exame*. Disponível em: <http://exame.abril.com.br/revista-exame/deus-e-negocios-m0052782/>. Acesso em: 15 ago. 2017.

Eles defendem que a vida é sagrada e que fomos impulsionados para viver. Cada célula do nosso corpo é programada para lutar pela sua própria sobrevivência e cada neurônio no cérebro busca ficar cada vez mais forte. Segundo eles,

> Por trás do nosso ímpeto pela sobrevivência existe outra força e a melhor palavra para desenvolvê-la é fé. Fé não apenas em Deus, no amor ou na ciência, mas fé em nós mesmos e em cada um. Ter fé no espírito humano é o que nos impulsiona a sobreviver e transcender. É isso que faz a vida valer a pena, é isso que lhe dá significado. A fé está embutida em nossos neurônios e em nossos genes, e é um dos mais importantes princípios para se honrar a vida.

Além de ter fé, os autores colocam a importância de questões profundas associadas à sua busca por realização e os sonhos que te movem a investir com disciplina na capacidade de organizar o seu cérebro de forma a motivá-lo a ter sucesso na vida e contribuir também para um mundo melhor. Segundo Zohar, a inteligência espiritual tem a ver com o significado que atribuímos às nossas vidas. A causa principal do estresse e das doenças seria a crise de significado pela qual passamos. Zohar vem dando consultoria para empresas do mundo corporativo que estão investindo em qualificar as relações de trabalho trazendo mais significado e propósito ao trabalho e inspirando as pessoas a se tornarem mais conscientes e a buscarem motivações mais profundas. Segundo ela,

> As pessoas com QE elevado querem sempre fazer mais do que se espera delas. Algo para além da empresa. Quem trabalha unicamente por dinheiro não faz o melhor que pode. Nas empresas em que se busca desenvolver espiritualmente os funcionários, a produtividade aumenta porque eles ficam mais motivados, mais criativos e menos estressados. As pessoas dão tudo de si quando procuram um objetivo mais elevado.

Inteligência emocional e espiritual nos relacionamentos

Por vivermos em sociedade e, diariamente, convivermos em vários círculos de relacionamentos, que podem ser afetivos, familiares, profissionais e de amizades, estamos, o tempo todo, compartilhando com os outros o que expressamos explicitamente através da nossa comunicação verbal, das nossas ações, das nossas ideias e dos nossos comportamentos. No entanto, há aspectos sobre nós mesmos que poucas pessoas sabem ou que só nós sabemos e tem coisas sobre nós mesmos que estão esquecidas no subconsciente ou nos porões do nosso inconsciente. Tudo isso junto é o que nós somos.

Do ponto de vista energético, vibracional, todos nós temos uma assinatura eletromagnética, também conhecida como estado de ser, que reflete nossos pensamentos e sentimentos dominantes. É o estado de ser das pessoas que provoca empatia ou antipatia, lembrando que a forma como vemos o outro é associada ao que espelhamos através das nossas memórias. Podemos associar o comportamento de uma pessoa a uma experiência positiva ou negativa e isso vai influenciar diretamente na boa impressão ou na má impressão que temos dela.

Desenvolver a inteligência emocional ajudará a que sejamos menos reativos, mais pacientes e resilientes e nos coloquemos também na equação, assumindo a nossa responsabilidade. Todo relacionamento é uma via de mão dupla e o que podemos fazer é dar o nosso melhor para que tudo flua bem, fazendo a nossa parte. É a forma como reagimos aos estímulos externos que trazem qualidade ou não aos nossos relacionamentos.

Segundo os doutores Andrew e Mark Robert, a raiva é o maior inimigo da humanidade. Ela é considerada a nossa emoção mais primitiva e a mais difícil de controlar. Por mais discreta que seja, ela gera ansiedade, nos coloca na defensiva e nos leva a agir de forma agressiva, às vezes descontrolada. Quando reagimos com raiva, com irritação, despertamos no outro o mesmo sentimento de defesa e agressividade que costumam envenenar os relacionamentos.

A raiva atua inibindo a ação do lobo frontal, o que faz com que não só comprometa a nossa racionalidade, bem como nos leve a agir de modo irracional. Na hora da raiva é comum que o mais importante seja ter razão do que ser feliz. Não responder com raiva a uma provocação requer muito treinamento. Um antivírus poderoso contra a raiva é a meditação, que é capaz de estimular, em nós, valores elevados.

Ainda de acordo com os pesquisadores:

> *Quando nos concentramos intensamente e consistentemente em nossas metas e valores espirituais, o fluxo sanguíneo do lobo frontal e do cingulado anterior aumentam, fazendo a atividade nos centros emocionais do cérebro diminuir. A chave é a intenção consciente e, quanto mais nos concentramos em nossos valores internos, maior controle teremos sobre nossas vidas. Assim, a meditação, sendo ela secular ou uma prática religiosa, nos torna mais aptos a realizar nossas metas com mais facilidade.*

O cingulado inferior é a área mais nova dentro da história evolutiva do cérebro. É uma pequena estrutura que ajuda a manter um delicado equilíbrio entre nossos pensamentos e sentimentos.

Estudos recentes de escaneamento do cérebro mostram que ele é estimulado pela prática da compaixão e da empatia. Quando estamos com raiva, também não conseguimos sentir compaixão, pois quando o lobo frontal desliga, o sentimento de compaixão é bloqueado. Também considero a compaixão um poderoso antivírus contra a raiva, capaz de criar um campo energético que nos protege de energias negativas e de provocações. De acordo com o Dalai Lama, "Se você quer que os outros sejam felizes, pratique compaixão. Se você quer ser feliz, pratique compaixão". Para ele, a verdadeira compaixão não é pena e muito menos apego, mas sim a compreensão da igualdade real entre todas as pessoas.[40]

---

[40] PEREIRA, Nando. A verdadeira compaixão não é pena nem apego, é a compreensão da igualdade real entre todos: Dalai Lama. *Dharmalog*. Disponível em: <http://dharmalog.com/2013/07/05/a-verdadeira-compaixao-nao-e-pena-nem-apego-e-a-compreensao-da-igualdade-real-entre-todos-dalai-lama-78/>. Acesso em: 15 ago. 2017.

A compaixão nos leva a ver o outro como tendo o mesmo direito que nós temos a ter felicidade e, por isso, ela nos traz força interior. Desenvolver a autocompaixão também é fundamental para que tenhamos uma tolerância maior com nossos erros e com os erros alheios. Existem meditações específicas para treinar o cérebro a expressar a compaixão. Recomendo a você que procure se exercitar nesse sentido. Acrescente nesse cardápio evolutivo também o treino do perdão e do auto-perdão, bem como da gratidão, e assim você estará treinando o seu corpo-mente para atrair relações emocionalmente e espiritualmente mais saudáveis, mais motivadoras e inspiradoras.

Lembre-se de que a ação dos neurônios-espelho potencializa a nossa capacidade de influenciar e contagiar as pessoas em torno de nós com a nossa vibração dominante. Treinar sua mente a viver no presente, de mãos dadas com os sentimentos de fé, compaixão, perdão e gratidão, fará de você um atrator de sucesso, prosperidade e saúde, em todos os níveis.

Atividade prática

1. Inicialmente, sente-se numa posição confortável e respire lenta e profundamente imaginando uma luz branca que se expande a partir do seu coração por todas as células do seu corpo, a cada respiração.
2. Repita mentalmente as palavras: harmonia, inteireza, equilíbrio, clareza e tranquilidade.
3. Mantenha esse estado até sentir sua mente tranquila e no presente. Nesse estado de tranquilidade e presença, ative a sua capacidade de autossugestão fazendo as afirmações a seguir:

Afirmações de autossugestão

1. Todos os dias, em todas as áreas da minha vida, eu vou cada vez melhor (Emile Coué).

2. Eu me conecto à minha força interior e, literalmente, removo montanhas de obstáculos dentro de mim para viver o propósito da minha alma.
3. Eu uso a minha imaginação com inteligência e sabedoria para viver com propósito, conectado à minha missão.
4. Eu crio universos paralelos dentro de mim e acesso infinitas possibilidades de ser feliz e ser uma pessoa realizada e de sucesso.
5. O meu corpo possui a fórmula mágica para curar todas as doenças.
6. Eu sei que possuo a mesma força do criador que me criou. Ele possibilitou que eu me expressasse à sua imagem e à sua semelhança.
7. Eu nasci designado a ser feliz, viver de forma saudável e influenciar pessoas por um bem maior.

Avante!

Capítulo 10

VIVA A VIDA DOS SEUS SONHOS

> *O imponderável sempre vai bater na sua porta quando você se acomodar na zona de conforto. A vida detesta acomodação e quanto mais você desperdiça tempo com distrações inúteis ou ficando estagnado no mesmo lugar, maior será o empurrão que precisará levar da vida para se colocar em movimento. Desacomode-se!*
>
> WALLACE LIMA

Um dos objetivos deste livro é "cutucar" você para que jamais se acomode e busque evoluir a cada dia, fazer melhor o que já faz e se abrir para novas possibilidades, novos referenciais. Evite aceitar verdades prontas, acabadas. Torne-se um cientista de si mesmo. Investigue, teste, tire suas próprias conclusões. Evite querer adaptar o mundo àquilo que você acredita. Pense na hipótese de aprimorar o que acredita e de se desapegar de crenças que não o empoderam, que o fazem parecer menor, que lhe incutem medo e insegurança.

O grande pensador francês René Descartes certa vez falou: "Se quiser buscar realmente a verdade, é preciso que pelo menos uma vez na vida você duvide, ao máximo que puder, de todas as coisas".

Todo o conteúdo que apresento neste livro é testável. Por isso, teste, tire suas próprias conclusões. No entanto, aja sempre com a alma de um verdadeiro cientista. Crie as melhores condições para que o seu velho eu não interfira. Supere preconceitos, dogmas, duvide, como sugeriu Descartes, pelo menos uma vez na vida, ao máximo que puder, de todas as coisas. No entanto, não faça isso levianamente, só por fazer. Faça como um exercício, um desafio, e pense sempre na possibilidade de que, ao duvidar, possa ousar oferecer soluções para que o mundo se transforme em um mundo melhor do que é hoje e você se torne uma pessoa mais consciente do seu poder pessoal e da sua capacidade de se autoinfluenciar e de influenciar as pessoas e o mundo ao redor.

Fique atento para evitar reproduzir comportamentos coletivos de grupos com os quais convive ou até mesmo da sociedade como um todo que não são bons para você e para as demais pessoas. É comum a pressão do grupo para que nos comportemos até mesmo de maneira agressiva, violenta, porque essa é a regra do jogo da maioria. Você nunca vai acessar o seu poder pessoal se não desenvolver sua autoconsciência e sua autorresponsabilidade pelos seus atos.

Observe seus hábitos e veja se tem algum comportamento que você repete apenas porque todo mundo faz assim, ou a sua família sempre fez assim, ou seus amigos sempre se comportam assim. Isso é o que costumo chamar de *comportamento de boiada*. E a boiada pode estar sendo guiada para cair em um precipício. A história está cheia de exemplos de grandes líderes que induziram um comportamento de boiada nas pessoas fazendo-as seguir esse caminho simplesmente sem questionar os efeitos de suas ações. O caso do nazismo é clássico.

Os alemães, com o orgulho ferido por causa da derrota na Primeira Guerra Mundial, criaram as condições energéticas para que um líder como Hitler emergisse e comandasse uma das ações mais violentas e preconceituosas que a humanidade já vivenciou. Inspirados pela raiva e pelo ódio contra os judeus, conseguiram suprimir a racionalidade e a compaixão humanas ao limite para defender aquilo em que acreditavam, mesmo que tenebroso. O episódio de Hitler mostra quanto a humanidade, mal conduzida, pode se transformar em massa de manobra e ser guiada por líderes carismáticos que conduzem as pessoas a viverem no campo do ódio e da vingança.

Felizmente, também temos exemplos notáveis de líderes carismáticos que colocaram os ideais e valores humanos em primeiro plano. O exemplo de Gandhi, na Índia, é notável. Ele conseguiu derrotar o Império Britânico pela primeira vez na história sem usar armas. Conseguiu liderar a nação indiana induzindo a prática da não violência ativa. O exército britânico agrediu e atacou a população desarmada, que corajosamente se expunha à violência dos soldados. Sentindo-se envergonhados, sucumbiram à força de um líder humanitário pacífico e chegaram à conclusão de que deviam abandonar o país.

Nelson Mandela e Martin Luther King também são exemplos de líderes cuja arma principal que utilizaram foram valores humanos universais e que conseguiram, através de seus exemplos, influenciar gerações e a humanidade como um todo.

Às vezes, penso sobre a motivação maior desses grandes líderes humanitários e o real intuito para se comportarem de forma autônoma e corajosa longe dos padrões dominantes. Eles literalmente saíram de dentro da caixa e utilizaram o poder pessoal com maestria. Fizeram a diferença no mundo, brilharam e nos autorizaram a brilhar também. Este livro é um convite para que você também compartilhe o seu brilho pessoal, para que se acostume a pensar grande e confie no seu potencial.

Já mostramos que o nosso cérebro e o nosso corpo funcionam como um extraordinário computador com um *hardware* avançado e disponível 24 horas por dia, para processar novas programações e instalar novos *softwares* avançados. A evolução nos presenteou com o lobo frontal, uma dádiva, capaz de orquestrar, como um talentoso maestro, novos comandos sempre que tomamos a decisão de nos reinventar, de usarmos a criatividade ao nosso favor e na construção de um mundo melhor. Toda a arquitetura do cérebro, do corpo, de cada célula, do nosso DNA, está programada para aceitar as ordens do diretor-geral.

No entanto, como vimos, o funcionamento do cérebro é coordenado pela inteligência do nosso coração, que é inspirado por valores elevados. É a frequência do amor, da compaixão, da bondade, da harmonia, do equilíbrio, da gratidão, da apreciação e dos demais valores elevados que nos coloca no fluxo da vida fazendo com que o minicérebro de nosso coração opere em sintonia com o cérebro emocional. Isso deixa o espaço livre para que o lobo frontal organize novos circuitos cerebrais para que possamos expressar uma nova realidade pessoal, impulsionada por um novo sentido, significado e propósito. Desse modo, podemos elevar o nosso quociente espiritual e fazer com que nos conduza a jogar o jogo da vida a nosso favor e fiquemos dispostos a promover as melhores condições para que possamos estar sempre disponíveis para novos aprendizados evolutivos.

Permita-se contar uma nova história para você. Programe-se diariamente para seguir o caminho dos seus sonhos. Só você é capaz de interferir na realidade que se projeta no mundo exterior. Desafie-se a fazer muito melhor do que faz hoje por você. Acredite em si mesmo!

Eu vou apresentar agora um estudo comportamental feito com chimpanzés na Universidade de Kioto, no Japão. Eu costumo apresentar esse estudo nos meus workshops e palestras para motivar as pessoas a olharem para o próprio comportamento e tentarem entender a origem dele e se o que de fato a elas viveram foi escolha genuinamente delas, do seu coração.

Nessa experiência, os cientistas colocaram cinco chimpanzés em uma jaula e, no meio dela, uma escada com um cacho de bananas em cima. Toda vez que um macaco subia a escada para pegar uma banana, os outros quatro, embaixo, tomavam um banho de água gelada através de um jato muito forte. Depois que os macacos entenderam a lógica, sempre que um macaco decidia subir na escada para pegar as bananas, os que estavam embaixo pegavam-no e davam uma surra, impedindo-o de alcançar as bananas. Após alguns dias, nenhum macaco mais se aventurava a subir a escada.[41]

Foi quando os cientistas decidiram substituir um dos macacos por outro de um laboratório distante. Naturalmente, a primeira atitude do visitante foi subir a escada para pegar as bananas. A reação dos demais foi imediata. Pegaram-no e lhe deram uma boa surra antes que os cientistas dessem um banho gelado neles. Após algumas surras, o visitante entendeu o recado e parou de tentar pegar as bananas. Os cientistas então trocaram um segundo macaco e o mesmo aconteceu, e o primeiro macaco que foi substituído participou da surra do segundo macaco com empolgação. No final, os cientistas trocaram todos os macacos que haviam tomado o banho de água gelada no início e ficaram na jaula os cinco macacos visitantes, que mesmo sem nunca terem tomado um banho de água gelada sempre davam uma surra no macaco que tentasse subir a escada.

A reflexão trazida por essa experiência é que, se fosse possível perguntar aos macacos por que agiam dessa maneira, surrando quem tentasse subir a escada, é possível que a resposta fosse: "Não sei. É que as coisas por aqui sempre foram assim". O comportamento dos macacos revela o típico comportamento de boiada. O comportamento da maioria valida o comportamento do indivíduo e muitas vezes existe a pressão de grupo para que todos se comportem da mesma maneira. É assim que muitas pessoas bebem refrigerantes, às vezes diariamente, ou se entopem de churrasco e cerveja nos fins de semana, ou vivem sempre a reclamar dos patrões, dos políticos e a olhar com desconfiança para as pessoas bem-sucedidas. É comum também que aqueles que decidem sair da caixa se tornem alvos de críticas dos grupos que participam, sejam familiares, sejam amigos.

Uma pessoa que se desvincula de um sistema de crenças e opta por ter novos comportamentos torna-se uma ameaça para o comportamento de grupo. As pessoas passam a se questionar pelo que fazem e é

---

[41] O poder da imitação (ou, as bananas, os chimpanzés e os humanos). *Medplan*, 23 jul. 2013. Disponível em: <http://www.medplan.com.br/ouca-um-bom-conselho/o-poder-da-imitacao-ou-as-bananas-os-chimpanzes-e-os-humanos,25577>.

comum que, em vez de se autoquestionarem por seus comportamentos e atitudes, adotem uma postura crítica e de desvalorização da atitude de quem escolheu um novo caminho.

Assuma o seu lugar de honra

Eleve quanticamente a sua vibração. Evite escravizar-se por pensamentos e emoções negativas que bloqueiam a sua luz pessoal. Acredite, você nasceu para brilhar. Assuma esse direito inato e irradie plenitude e abundância. Ocupe de vez o seu lugar de honra. Desperte!

Em 2005, fiz o meu primeiro seminário público sobre Física quântica com o Título "O Paradigma Quântico — Um Portal para uma nova consciência". Naquele momento, eu decidira "colocar meu bloco na rua", como costumamos dizer no Recife. O entusiasmo das pessoas sobre o tema me fez ver que o que eu vinha estudando e aplicando na minha vida era algo que desperta o interesse e a curiosidade, apesar de, a princípio, causar certa estranheza. Na verdade, naquela ocasião o grupo de pessoas que se interessava por essas temáticas era muito menor do que hoje. Eu tinha consciência de que tinha um tesouro a ser compartilhado e que transformou a minha vida, desde então.

Certa vez, uma senhora que já participava pela terceira vez consecutiva do mesmo seminário, chegou para mim e disse: "Agora caiu a ficha. Finalmente eu entendi o que é Salto Quântico e como isso pode mudar minha vida". Eu fiquei feliz com a determinação dela em repetir o curso e por ter finalmente conseguido entender a mensagem e compreender a importância disso para a sua vida prática. Como dizia Niels Bohr, "se esse conteúdo está provocando em você certa estranheza ou até perplexidade, você está no caminho certo".

Costumo dizer também que, se em algum momento as pessoas começarem a achar que você está ficando louco, também é um bom sinal. É uma comprovação de que você está ousando olhar para novas possibilidades, sair da normose. Grandes gênios, visionários e pessoas que mudaram o rumo da humanidade já foram taxados de loucos por aqueles que não conseguiram ir além da caixa.

Quem está viciado em um padrão mental que o faz processar sempre as mesmas crenças, torna-se prisioneiro de seus próprios sentimentos e emoções. Os vícios mentais e alimentares provocam tanta dependência como a cocaína e a heroína, que são consideradas drogas pesadas. Há certos padrões mentais que se propagam por gerações nas estruturas familiares. São esses padrões que fazem com que as doenças crônicas se repitam através de muitas gerações. É por isso que toda doença, toda crise e todo desafio deve ser sempre encarado como uma oportunidade.

De acordo com o doutor Joe Dispenza, um vício se estrutura em nível celular de duas formas. Lembre-se de que, ao pensar e atribuir significado a algo, neurotransmissores são liberados no cérebro e as moléculas da emoção são liberadas na corrente sanguínea. Esses sinalizadores químicos têm a informação que transforma o seu pensamento em um sentimento que fará com que, emocionalmente, você se comporte como pensa. Para que isso aconteça, eles precisam se acoplar aos receptores celulares para que a informação seja levada para o interior da célula, onde proteínas se encarregarão de despertar o DNA para que os genes passem a produzir proteínas que reflitam a forma como você pensa.

Dependendo da intensidade e da frequência com que você ativa um mesmo pensamento, produzirá mais proteínas que sinalizarão ao cérebro para continuar pensando daquela maneira. Assim, devido à sobrecarga de um mesmo tipo de sinalizador químico, a célula criará mais receptores especiais para aqueles sinalizadores, para atender à demanda e expressar, através do corpo, em forma de emoções, a maneira como você pensa. Esses novos receptores equivalem a uma memória corporal que enviará constantemente informações para o cérebro para que você continue pensando do mesmo jeito e os receptores sejam ocupados. É dessa maneira que o seu corpo, por meio da informação emitida pelos receptores celulares, se transforma na sua mente subconsciente, literalmente viciando-o em uma forma de pensar e sentir.

A outra possibilidade é a de que, em um processo autodestrutivo ou auto-obsessivo, fixado em determinado pensamento, você inunda a corrente sanguínea com os mesmos sinalizadores químicos, as chamadas moléculas da emoção. Assim, os receptores celulares começam a se sobrecarregar com tamanha demanda e passam a não mais responder com a mesma eficiência, levando o cérebro a produzir doses ainda maiores para compensar o desgaste.

É como se a pessoa, que está com muita raiva, revoltada, precisasse de uma dose cada vez maior daquele pensamento que a faz ficar com raiva para produzir o nível de raiva que gostaria de expressar. Isso acontece também com os viciados em cocaína e heroína. Essas drogas ocupam os mesmos receptores celulares das endorfinas e, por isso, desencadeiam a sensação de prazer e felicidade temporários.

No entanto, essas drogas sobrecarregam e comprometem os receptores, diminuindo a sua sensibilidade. É por isso que a pessoa viciada em drogas químicas tende a aumentar a dose para manter o nível de prazer que sentia antes. É dessa forma que muitos morrem de overdose, porque há uma sobrecarga do estímulo, aumentando bruscamente a pressão arterial, fazendo o corpo padecer.

As pessoas viciadas em pensamentos e sentimentos que se repetem também viciam o corpo emocionalmente. O corpo, então, passa a comandar o cérebro, tornando-o dependente de uma mesma forma de pensar, de uma mesma maneira de ver o mundo. Assim, elas viram prisioneiras de doenças que se manifestam em função dos pensamentos, que, muitas vezes, desencadeiam um nível de estresse permanente. Isso faz com que todos os sistemas do corpo operem abaixo da sua capacidade e até as próprias células, sentindo-se desprotegidas, começam a agir egoisticamente, passando a não cooperar entre si, como de costume, pois cada uma está preocupada com a sua própria sobrevivência.

É dessa forma que muitas pessoas morrem de enfarte, ou desenvolvem câncer e diabetes ou outra doença crônica e autoimune. A autorrejeição, a dificuldade de se autoperdoar e se aceitar, associadas às toxinas dos medicamentos químicos, do glúten e da proteína do leite, são temperos e explosivos que podem levar o corpo a não mais reconhecê-lo e a criar anticorpos para se defender de você.

É assim que surgem as doenças autoimunes que, nos últimos 50 anos, passaram a atingir um número cada vez maior de pessoas. A falta de propósito, o ressentir de experiências negativas vividas no passado, aliados à química dos alimentos industrializados e repletos de agrotóxicos são promotores de um nível de desconexão consigo mesmo que faz o corpo atacar a si próprio.

O salto quântico na mente nos leva para uma vida com sentido, que nos faz cuidar melhor de nós mesmos, nos autoconhecer e tomar a decisão de investigar, de superar o vício de si mesmo e passar a ter uma influência positiva no mundo, aprendendo a se proteger das influências negativas.

Vou compartilhar o link de acesso para o meu e-book *Salto Quântico na Mente*, para que você tenha uma leitura complementar e possa se fortalecer na sua jornada rumo ao Salto Quântico na Mente: portalsaudequantum.com.br/ebook-salto-quantico.

Você deve estar se perguntando como uma pessoa pode deixar de ser refém dos próprios pensamentos. Como uma pessoa pode se libertar de um subconsciente que passou, talvez, grande parte da vida sendo nutrido por crenças limitantes, ao ponto de virar um dependente emocional e não conseguir processar novos contextos para a sua vida. É aí que entra, mais uma vez, o maestro, o lobo frontal. Como já vimos, ele está 24 horas disponível para levar adiante o seu ideal, o seu sonho de viver uma vida digna, saudável e próspera.

A regra é simples: se você criou a vida que tem hoje nutrindo crenças e percepções que se transformaram em uma realidade que não mais o satisfaz ou com a qual não está plenamente satisfeito, da mesma forma, você pode estruturar novas crenças e percepções de modo a fazer com que essa nova programação passe a guiar a sua vida. A nossa capacidade de fabricar novos sonhos e novas realidades é infinita. O pré-requisito é ter uma forte motivação para isso. Viver em plenitude com a possibilidade de, a cada dia, estar disponível para novos aprendizados, cuidar melhor de si, empoderar-se, estabelecer uma relação digna com si mesmo e fazer a diferença no mundo, deixando um legado para que as futuras gerações usufruam de um mundo melhor, são algumas das motivações que me movem.

É fundamental que você ancore, dentro de si, uma grande motivação para que o lobo frontal possa se instrumentalizar e se respaldar para vibrar em um nível de energia acima do seu velho eu. Em função dos vícios mentais e emocionais que foram estruturados através da sua vida, você pode ser uma presa fácil do ambiente externo que pode exercer um controle decisivo sobre você.

É comum que as pessoas respondam ao meio em que vivem governadas pela mente subconsciente, que responde aos estímulos emocionais provocados pelo corpo viciado em uma velha programação. O primeiro passo é treinar a auto-observação dos próprios pensamentos, o que vai ajudá-lo a identificar programações de medo, frustração, insegurança, baixa autoestima e toda programação focada em crenças que lhe roubam energia e fragilizam seu poder pessoal.

Essas programações costumam operar no piloto automático e você não faz, muitas vezes, a mínima ideia de por que se comportou de uma maneira que o impediu de obter o resultado que gostaria. De posse dessa capacidade de auto-observação e da motivação de investir em seus sonhos, ative seu lobo frontal diariamente, nas melhores condições possíveis, para que ele comece a orquestrar as mudanças, acionando novas sequências e combinações de neurônios para estabelecer novas redes neurais e dar início à estruturação da sua nova assinatura eletromagnética, do seu novo eu.

Foque aonde quer chegar e crie as condições para que a máquina poderosa de criar realidades seja potencializada dentro de você. Vizualize seus sonhos e fortaleça a autossugestão de que tudo já se realizou e expresse a sua gratidão pela realização do seu desejo. Procure ler sobre histórias de sucesso, de pessoas que realizaram seus sonhos, curaram-se de doenças tenebrosas, se superaram, deram a volta por cima e se tornaram exemplos. Essa prática ativa no nosso cérebro os neurônios-espelho.

No livro *Mindset – A nova psicologia do sucesso* (Objetiva, 2017), Carol S. Dweck, Ph.D, conta um pouco da história do técnico de basquete John Wooden, que é considerado o melhor treinador da história da NCAA, a entidade máxima do esporte universitário norte-americano. Entre os anos de 1964 e 1975, ele ganhou dez campeonatos universitários à frente da equipe da UCLA. O mais extraordinário é que ele conseguiu elevar a autoestima dos jogadores de um time que era considerado ruim e que, na época, não dispunha nem mesmo de um espaço adequado para treinar.

Sua definição de sucesso não era associada a ganhar sempre. Para ele, uma pessoa de sucesso era aquela que dava sempre o melhor de si. Ele não exigia jogos sem erros nem que os jogadores sempre ganhassem. O que pedia era preparação total e esforço total. Carol cita a seguinte frase de Wooden: "Ganhei? Perdi? Essas são as perguntas erradas. A pergunta correta é: Eu me esforcei ao máximo? Pode-se marcar menos pontos, porém jamais perder".

O que ele não tolerava mesmo era a falta de empenho. Se os jogadores faziam corpo mole durante os treinos, ele apagava as luzes e dizia: "Senhores, o treino acabou". Haviam perdido a oportunidade de melhorar naquele dia. Segundo ele, "você tem de se dedicar diariamente para se tornar um pouco melhor. Quando você se dedica à tarefa de se tornar um pouco melhor todos os dias, durante um certo período, você se tornará melhor", cita Dweck.

O segredo de Wooden não eram táticas e estratégias mirabolantes, pois ele mesmo, modestamente, não se considerava mais que mediano. O segredo do seu sucesso estava na capacidade de analisar e motivar seus jogadores. Segundo ele, era dessa forma que conseguia tirar o melhor deles.

Dweck ainda traz depoimentos de dois jogadores que entraram para o Hall da Fama sob o comando de Wooden. O primeiro, Bill Walton, diz: "Claro, a verdadeira competição para a qual ele nos preparava era a vida. [...] Ele nos ensinava os valores e as características que podiam fazer de nós não apenas bons jogadores, mas também boas pessoas". O segundo, Kareem Abdul-Jabbar, disse: "A sabedoria do técnico Wooden teve profunda influência sobre mim como atleta. Porém, ainda mais influência como ser humano. Ele é responsável, em parte, pela pessoa que sou hoje".

Estou trazendo essas citações para que você perceba que, mesmo para jogadores extraordinários que entraram para o tão sonhado Hall da Fama, o que mais os marcou na relação com Wooden foi a preparação para a vida. Por isso, procure começar agora a sua jornada de transformação e, se decidir se tornar um pouco melhor todos os dias, durante certo período, você se tornará uma pessoa melhor. Observe a diferença que faz uma liderança com base em valores.

A lógica da vida é bem simples. Quanto mais você ensina, mais aprende. Quanto mais você doa, mais recebe. Quanto mais você confia, mais aumenta a sua fé. Confie em Deus, confie na sua força interior, confie em você!

Células-tronco — O milagre dentro de você

Nós já vimos que a partir de um simples pensamento é possível desencadear uma cascata de ações no corpo por meio de sinalizadores químicos, como neurotransmissores, hormônios e neuropeptídeos, que se encarregarão de levar a mensagem associada ao significado do seu pensamento. Esses neurotransmissores vão aterrissar nos receptores celulares e desencadear o movimento de proteínas no interior das células, que vão despertar o código da vida impresso no nosso DNA. Dessa forma, você será capaz de fabricar as proteínas capazes de curar o seu corpo e a sua vida. No entanto, o nosso corpo é muito mais poderoso do que você imagina.

As chamadas células-tronco são células indiferenciadas que podem se transformar em células especializadas para realizar uma função específica. Ao serem acionadas, elas podem se transformar em qualquer tipo de célula, de modo a atender às necessidades do corpo, incluindo células musculares, células dos ossos, da pele, do sistema imune e até mesmo as células nervosas do cérebro, com o intuito de repor células defeituosas, que sofreram algum dano.

Joe Dispenza dá um exemplo de ação das células-tronco que atuam no dedo de uma pessoa que sofreu um corte. A ação do corpo é buscar reparar o corte. A região do dedo afetado envia um sinal para os genes através dos receptores celulares. O gene específico é ativado e se encarrega de preparar uma proteína que leva a instrução até as células-tronco para que se transformem em células da pele saudáveis para cicatrizar o ferimento. O sinal originado a partir da situação traumática é suficiente para que as células-tronco se transformem em uma célula da pele. Segundo Dispenza, milhões de processos como este ocorrem o tempo todo no nosso corpo e curas similares a estas, a partir de um sinal, que possibilitam a expressão de um gene específico, já foram documentadas no fígado, nos músculos, na pele, nos intestinos, na medula óssea e até mesmo no cérebro e no coração.

As células-tronco equivalem a um pronto-socorro capacitado a atender a todos os problemas possíveis e imagináveis relativos à restauração da saúde do nosso corpo. No entanto, as células-tronco têm uma exigência para que se tornem as guardiãs poderosas de nossa saúde. Elas não conseguem receber a mensagem para operar com clareza quando estamos sob o efeito de emoções negativas como a raiva ou quando estamos estressados.

É por isso que as feridas da pele tendem a demorar a cicatrizar quando estamos sob o efeito do estresse. Nessa situação, proteínas específicas responsáveis pela cicatrização são produzidas em quantidade bem menor. Desse modo, ao realizar algum trabalho de autocura com base na autossugestão, primeiro é preciso trazer o cérebro para o presente, ativando as ondas alfa, teta ou delta. De outro modo, no estado de raiva, mágoa, ressentimento ou estresse o sinal não chegará com clareza até as células-tronco e o processo de cura não acontecerá.

Em 2015, eu fiz uma palestra ao vivo em São Paulo no Programa Mente Próspera, do meu amigo André Lima, e, ao final, realizei uma meditação da gratidão e conduzi a plateia ao estado de coerência cardíaca. Naquela ocasião, eu vinha estudando sobre as células-tronco e tive um *insight* de orientar as pessoas a se comunicarem mentalmente com as células-tronco e acioná-las para que curassem o que precisasse ser curado no corpo delas. Meses depois, eu estava em Niterói, no Rio de Janeiro, participando de um evento do meu amigo Bruno

Juliani e fiz uma divulgação no Instagram. Uma pessoa de Niterói que acompanha o meu trabalho, o Carlos Eduardo Werneck (Cadu), entrou em contato comigo dizendo que gostaria muito de me conhecer pessoalmente e, assim, agendamos um jantar do qual participaram a sua noiva, Cristina Villa Real, a mãe da noiva, Maria Clara Villa Real, meu enteado, Mateus Duarte, e meu genro, André Monteiro. Tivemos uma noite agradável e, para minha surpresa, a Maria Clara me contou que havia participado do evento do André Lima em que eu havia realizado a meditação. Ela confidenciou que havia sido mordida pela sua cachorra antes de ir para São Paulo e que tinha sido um ferimento de certa gravidade, em que parte da pele do dedo havia sido arrancada e a cicatrização não estava indo bem ao ponto de ela pensar em desistir de ir para o evento em São Paulo. Ela contou ainda que durante a meditação entrou em transe profundo e nem lembrou do dedo ferido. Após a meditação, ao retornar para o seu quarto no hotel, retirou o curativo do dedo e, para sua surpresa, o dedo havia cicatrizado. Ela disse, inclusive, que gravaria um depoimento para registrar o ocorrido. Ao escrever o relato da Maria Clara, resolvi entrar em contato com o Carlos Eduardo pelo Instagram dele (@caduwerneck), falando da minha intenção de falar com Maria Clara. Contei que estava escrevendo um livro e que gostaria de ter o depoimento dela para ilustrar a história e trazer mais credibilidade. Ele me passou o telefone de Maria Clara, que gentilmente me enviou o depoimento a seguir:

> *Em novembro de 2015, estava com uma viagem marcada a São Paulo para participar de um evento ao vivo no Programa Mente Próspera.*
> *Na noite anterior à viagem fui ministrar medicação à minha cachorrinha que estava doente e levei uma mordida profunda no polegar da mão direita, na matriz da unha. Como já estava com toda a programação feita para o evento, fui assim mesmo na manhã seguinte.*
> *Cheguei em São Paulo numa sexta-feira, com o dedo sangrando muito e parecendo que começava a inflamar.*
> *No sábado, o professor Wallace Lima deu uma palestra sobre a cura através das células-tronco. No final da palestra, ele fez uma meditação da gratidão,*

solicitando às células-tronco que rastreassem todo o corpo e curassem tudo o que precisasse ser curado. Da meditação é só o que eu me lembro.
Eu me vi sozinha em um salão com janelas enormes, muito iluminado com luz natural.
Não sei quanto tempo durou. Eu estava num vazio, sem pensamentos e com uma sensação de leveza e bem-estar.
Voltei a mim e assisti às outras palestras do evento.
O curativo do dedo ainda tinha muito sangue.
À noite, já no quarto do hotel, retirei o curativo e fiquei impressionada: o meu dedo estava cicatrizado.
Enviei uma foto para minha filha porque ela não estava acreditando, achava que eu estava falando aquilo só para despreocupá-la.
Hoje não existe nenhum vestígio da mordida.
Pena que a foto não existe mais.
Durante a meditação, em nenhum momento eu pensei no meu dedo. Naquele momento eu sentia uma sensação de vazio e de só estar comigo, apesar do teatro lotado. Eu não sentia o meu corpo.
Grata e honrada!
Maria Clara Villa Real
facebook.com/mariaclara.villareal

Eu gosto muito de ouvir histórias de superação, e cada história fortalece ainda mais o meu propósito de compartilhar esses conhecimentos que transformaram a minha vida e que possibilitam transformar a vida de qualquer pessoa que decida iniciar com determinação uma nova jornada na sua existência. Ficarei na torcida para que você possa se inspirar também a seguir a sua nova jornada de autocura e transformação.

Atualmente, milhares de pessoas acompanham o meu trabalho no Brasil e no mundo e podem acessar os seus recursos inatos de autocura e estão se empoderando na estruturação de um novo eu. Vou compartilhar trechos de depoimentos de algumas alunas que passaram por vigorosos processos de transformação e que deram cada uma um novo sentido à vida delas. Além disso, também trago pessoas que acompanham o meu trabalho e assistem os vídeos que compartilho no meu canal no YouTube (Wallace Liimaa) e nas demais mídias sociais, como o Instagram (@wallace_liimaa_oficial) e o Facebook (https://www.facebook.com/drquantico/).

Depoimentos para inspirar a sua jornada

Costumo dizer que o maior trabalho do Wallace é descobrir onde estão as mais recentes descobertas da Física quântica, como trazê-las para o Brasil e viabilizar o acesso ao maior número de pessoas possível. É um sacerdócio, uma missão. Ele sai pelo mundo, investe uma quantidade absurda de tempo e dinheiro em cursos de atualização sobre muitos assuntos e traduz tudo para a nossa cultura, para a compreensão da pessoa comum. Guiada pelo Wallace Lima, finalmente, tive a coragem de me tornar cientista de mim mesma e as transformações não param mais. Descobri que sou uma águia, que nasci para cruzar os céus, em longos voos, com asas muito abertas sobre as muitas possibilidades. Obtive uma projeção profissional que nunca havia imaginado e estou me preparando para realizar meu maior sonho. Vou lançar meu próprio curso on-line e tenho certeza absoluta de que será um grande sucesso, pois aprendi que a melhor transformação é aquela que a gente provoca na vida das pessoas e que traz felicidade para mais gente, além de si próprio.
Avante! Ainda há muito céu para percorrer neste mundo afora e sei que estou pronta para isso.
Toda minha gratidão a Wallace Lima!
Deus continue abençoando sua vida para que você possa continuar a impactar muitas outras pessoas com sua missão!
Mariangélica de Almeida
facebook.com/mariangelicaalmeida

Não trazia doenças físicas, mas cicatrizes profundas em minha alma que me impediam de progredir em todos os sentidos. Minha alegria e meu otimismo, apesar de todos os acontecimentos, não eram suficientes e achava que a vida não gostava de mim. Minha vida era um reality show

e eu não sabia... cresci interpretando um papel dentro de um cenário que não me pertencia. Tudo era pura ilusão, e eu não era quem pensava... O curso me trouxe transformações profundas, aos poucos fui aprendendo a me ressignificar e a ver a vida com outros olhos, fui mudando os paradigmas e entendendo a simplicidade da vida. Mas isso era só o começo.... a jornada estava só começando! Cada aula, cada resposta, cada palavra do professor me possibilitava conhecer novas ferramentas de cura para o corpo, a mente e o espírito. Aprendi a ver a beleza no ser humano, aprendi a criar meu caminho com a força viva que existe em mim além de uma grande transformação em minha vida pessoal e profissional. Aqui me encontrei e continuo a realizar os meus sonhos. Sou infinitamente grata ao professor Wallace por ter me mostrado que "Alguns sonhos são uma loucura, enquanto outros são pura ternura. Todos têm múltiplas possibilidades". Gratidão profunda, mestre querido!
Laís Aidêe Ferreira
facebook.com/laisaidee

Eis que no início de junho de 2016 tive acesso à primeira sacada do professor Wallace e fiquei totalmente encantada e envolvida. Creio que em 12 de junho assisti à live "Como sair do ciclo do adoecimento" e fiquei tão impactada e deslumbrada, no mínimo, com o professor e seus ensinamentos, que passei a absorver freneticamente.

Em primeiro lugar, passei a amar tudo e todos, inclusive os desafetos. Após, perdoei tudo e todos. Depois disso, dediquei-me a desejar intensamente que coisas boas ocorressem com as pessoas que eu não apreciava e também àquelas pessoas que não gostassem de mim. O objetivo dessas atitudes era curar-me da paralisia do braço. Intuitivamente, nutria a certeza de que daria certo pois esse era o caminho. Em 20 de junho, pela primeira vez em 16 anos, consegui mexer o braço esquerdo em alguns poucos centímetros e continuei sempre aumentando a mobilidade. Absorvia diariamente todos os ensinamentos do professor e minha vida iniciou uma transformação até então, para mim, inimaginável e deslumbrante.

Durante o curso, a cada dia, a cada livro, a cada meditação, a cada aula, caía uma venda de meus olhos e se ampliava um novo mundo, no qual ficou

escancarado que eu sou a única responsável por tudo o que me acontece e capaz de criar minha própria realidade. A expansão de minha consciência foi extraordinária. Parei imediatamente de tomar os medicamentos, mesmo contrariando a todos que me rodeavam. Enfrentei a resistência de todos que se opuseram ao abandono dos medicamentos de forma veemente.
Maria Del Carmen
facebook.com/mariadelcarmen.costas.3

O curso Salto Quântico foi a melhor decisão que tomei na minha vida. Ele me deu qualidade de vida e a cura do câncer de mama. Fiquei curada de uma doença para a qual a medicina tradicional não via cura, e seguia e sigo todos os ensinamentos do curso, inclusive me inspirei no professor como exemplo, pois o tempo todo ele nos ensina e se coloca como exemplo. Obtive a libertação dos remédios controlados e da depressão crônica. Obtive a consciência de que eu escrevo a minha história, ou seja, não importa o que a vida manda para mim, a grande sacada é o ensinamento e o crescimento que vou tirar disso. Não me canso de repetir: hoje eu vivo e antes sobrevivia. A minha vida hoje, após o curso, mudou radicalmente em todos os sentidos: tenho qualidade de vida, saúde e sucesso financeiro. Trabalhava com algo de que não gostava e hoje sou terapeuta holística e organizo eventos quânticos; sou feliz e adquiri o que sempre procurei: paz de espírito, fé na vida e em mim mesma. O professor Wallace para mim é uma pessoa megaespecial, minha família, meu mestre, um ser humano como nunca conheci igual e só posso dizer a ele que tenho Gratidão, Gratidão, Gratidão e torço para que seus conhecimentos atinjam diversas pessoas em cada canto desse mundo, pois com certeza teremos um mundo melhor, um mundo de infinitas possibilidades, o meu mundo.
Mônica Cristina Cotrim de Pinho de Souza
facebook.com/monica.c.cotrim

Estou passando para reafirmar minha gratidão pelos seus vídeos gratuitos no YouTube. Embora hoje não tenha mais tanto tempo para assistir ao vivo, sempre entro em seu canal no YouTube e assisto seus vídeos.

Hoje completo 4 meses sem álcool, cigarro e drogas. Mudei completamente meus hábitos através dos seus ensinamentos e descobri o meu poder interior juntamente à meditação da frequência cardíaca. Estava com problemas financeiros também e agora estou trabalhando com uma empresa na qual me tornei palestrante e ganho as comissões dos fechamentos de investimento. Estou ganhando 4 vezes mais do que meu último emprego, com expectativa de aumentar ainda mais nos próximos meses. E isso tudo devo à mudanca que aprendi a fazer em seus vídeos.

Gratidão eterna, professor, por me ajudar a reconhecer o meu poder interno e me ensinar a criar a minha vida de forma fácil e duradoura.

Forte abraço quântico!

Abel Biasi

facebook.com/abel.biasi

Atividade prática

1. Sente-se confortavelmente e respire lenta e profundamente através do baixo-ventre.
2. À medida que respira, procure lembrar-se dos momentos significativos que viveu desde criança até aqui e agradeça por tudo de bom que lhe aconteceu e por todos os desafios que viveu e o fizeram evoluir. Agradeça por ter uma casa para morar e por tudo que há nela e que tenha utilidade para você. Agradeça pela luz do Sol, pelo ar que respira, pela água que bebe, pelo alimento que o nutre. Agradeça pelas mínimas coisas que nunca pensou em agradecer. Agradeça e relaxe mantendo sua respiração lenta, profunda e tranquila.
3. Ao se sentir em um estado em que o seu mundo interior seja mais real que o seu mundo exterior, conecte-se mentalmente com as suas células-tronco e peça, amorosamente, que elas curem o que precisa ser curado no seu corpo. Nesse estado de gratidão e confiança interior agradeça pelo trabalho de cada

célula do seu sistema imunológico e às células-tronco pelos milagres de cura que operam todos os dias em você.
4. Mantendo esse estado de tranquilidade e confiança, realize as afirmações a seguir.

Afirmações

1. Eu me sento no colo de Deus, agradeço por todas as bênçãos que recebi até hoje e selo um pacto comigo mesmo de transformar todos os meus desafios em oportunidades e de ser uma pessoa melhor e mais saudável a cada dia.
2. Eu mereço ser feliz e honro toda a minha ancestralidade, todo o aprendizado que tive até aqui e me determino a mudar a minha assinatura eletromagnética, estruturar um novo eu e projetar uma nova realidade na minha vida capaz de reverberar cura através das gerações que me antecederam e das futuras gerações.
3. Eu tomo decisões conscientes e sábias no sentido de curar a minha alma e curar a minha vida.
4. Eu me determino a dar um ousado Salto Quântico na minha vida e proporcionar a mim mesmo as melhores condições para viver com saúde, empoderado e com propósito.
5. Eu planto todos os dias no quintal da minha existência os valores mais elevados que me protegem de energias negativas e me impulsionam rumo ao meu propósito de vida.
6. Eu entro no fluxo da existência e crio as melhores condições para que meu corpo esteja sempre alinhado com o propósito da minha alma.

Capítulo 11

UM SALTO QUÂNTICO NA VIDA

> *Ao novo que chega, agradeça. Ao velho que parte, agradeça também. O sentimento de gratidão vai colocá-lo em alinhamento com o propósito do Universo de empurrá-lo para o salto quântico evolutivo. Nessa perspectiva quântica da vida, tudo o que consideramos bom ou ruim são oportunidades de seguirmos em frente, evoluindo. Avante!*
>
> WALLACE LIMA

Escrever um livro é como gestar um filho. Tudo precisa ser feito com muito carinho e amor. Depois de chegar ao mundo, a nossa obra segue o seu próprio fluxo levando para as outras pessoas o melhor que pudemos dar. Eu espero que esta obra ganhe asas e possa tocar o seu coração no que precisa ser tocado e ainda contribuir para curar o que precisa ser curado. O propósito maior é despertar em você as ferramentas de que já dispõe para a sua transformação. Trata-se de inspirá-lo a tornar-se um cientista de si mesmo. Só você pode tomar a decisão de se transformar. Ninguém pode fazer isso por você.

O seu corpo-mente é o laboratório de pesquisas mais avançado disponibilizado pela inteligência maior que tudo rege, com o intuito de que possa acessar as infinitas configurações de manifestar a vida em abundância e generosidade. A partir de agora não desperdice uma única oportunidade de evoluir. Até mesmo quando der uma simples topada, pare e observe o seu estado de presença quando isso ocorreu. Identifique o seu estado de ser em cada situação que está vivendo e busque entender a sintonia entre o seu mundo interior e o que projeta no mundo exterior. Assim, você poderá ajustar a frequência modulada (FM) com que emite os seus sinais para que eles passem a expressar quem de fato você é e o que quer realizar.

Decida-se a aprimorar o sinal que emite, a sua assinatura eletromagnética. Treine a mente para expressar sempre o que quer e não o que não quer. Aprenda com os erros e evolua. Lembre-se de que o mais importante não é ganhar sempre. Como disse o técnico Wooden, o mais importante é você dar sempre o seu melhor. Fazendo isso, não interessa o placar do jogo, você será sempre um vencedor. Portanto, mantenha-se firme no propósito de fazer sempre um pouco melhor a cada dia, que seus dias tenderão a ser cada vez melhores e cheios de significado. Treine o não julgamento, o perdão, a gratidão, a compaixão por todos os seres e a autocompaixão. Entenda que todos estão em busca da felicidade.

O que difere as pessoas são os referenciais que adotam com o objetivo de serem felizes. Ao ignorarmos as Leis Universais, é comum buscarmos a felicidade por caminhos que geram sofrimento e que estão desconectados de um propósito maior. Exercite superar os preconceitos. Cada ser humano, do seu jeito, está buscando ser feliz. Sempre criticar os outros não nos coloca em um patamar de superioridade, mas de resistência e, muitas vezes, de julgamento, que cria acirramento e semeia a raiva e a discórdia nos relacionamentos. Experimente observar sem julgar. Experimente focar em você, em fazer o seu melhor, ensinar e compartilhar o que já aprendeu. Exercite a cooperação. Ninguém compete com ninguém. Nós só competimos com nós mesmos. Quando agimos e vibramos na abundância, criamos as condições para que a nossa vida seja abundante.

Tudo a que você resiste tende a persistir na sua vida porque torna-se um ponto de estagnação. Experimente agradecer pelo desafio, aplique doses abundantes de perdão para desapegar-se e trazer leveza e movimento à sua vida. Desestaguine-se!

Integrando ciência e espiritualidade

Houve um momento em minha vida que decidi investigar os fundamentos de todas as religiões e tradições espirituais. Pesquisei, estudei, entrei em todos os templos e igrejas que se apresentaram na minha frente. Bebi de muitas fontes. A minha intenção era buscar a essência das religiões, bem como compreender a relação entre ciência, espiritualidade e curas naturais.

A minha ideia era reintegrar todas as dimensões humanas para potencializar aquilo que temos de melhor. A separação entre ciência e espiritualidade foi um equívoco que veio para fortalecer as bases de uma ciência materialista e mecanicista que distanciou o ser humano da natureza e das riquezas do nosso mundo interior. Isso fez com que a ciência se desenvolvesse com uma visão limitada e, muitas vezes, preconceituosa com relação às novas descobertas.

Da mesma forma, o caminho espiritual foi picado pelo mesmo vírus do preconceito e, até hoje, muitas pessoas ainda discutem e brigam, em nome de Deus, para querer mostrar que a sua religião é a melhor e que as demais são coisa do demônio. A ciência se encarrega de estudar as Leis Naturais e transformar em tecnologias, que são aplicadas ao mundo exterior com objetivo de tornar a nossa vida melhor, mais prática e mais saudável. O crescimento do consumo consciente está levando ao desenvolvimento de empresas sustentáveis, comprometidas com o bem-estar humano e planetário e que tenham como base os valores humanos universais.

Por outro lado, a espiritualidade se encarrega de estudar e compreender as Leis Naturais para desenvolver as tecnologias avançadas do mundo interior, como o amor, a bondade, a generosidade, a gratidão e a compaixão. Quando unimos ciência e espiritualidade, estamos humanizando e espiritualizando o campo da ciência e possibilitando que novas tecnologias sejam desenvolvidas de modo a contemplar todas as dimensões da existência numa lógica de sustentabilidade, de consumo consciente e visando ao bem maior de toda a humanidade.

Assim, trazemos uma base científica para os conhecimentos espirituais para que possam sair do campo da crendice e da especulação e migrar para o campo científico, com mais credibilidade ao que os grandes mestres espirituais acessaram em conexão direta com a dimensão espiritual através da inteligência do coração. Na minha viagem pela essência das religiões, percebi que há um princípio universal, que é: "não fazer ao próximo o que não quer que faça a si mesmo". Esse princípio simples, quando aplicado, é um poderoso catalizador de relações pacíficas capazes de promover a harmonia e a paz entre as pessoas e entre os povos.

Eu nunca consegui entender as nações e as pessoas que se agridem e, muitas vezes, até se matam e justificam que tudo foi feito em nome de um deus. Parece-me que deus passou a ser usado como um álibi para se cometer barbaridades. Há algumas passagens bíblicas que ressaltam o não julgamento como um valor essencial a ser seguido: "Não julgueis, para que não sejais julgados. Pois com o critério com que julgardes, sereis julgados, e com a medida que usardes para medir aos outros, igualmente medirão a vós" (Mateus 7:1). "Não julgueis e não sereis julgados; não condeneis e não sereis condenados; perdoai e sereis perdoados" (Lucas 6:37). "Por que reparas no cisco que está no olho do teu irmão e não percebes a trave que está no teu próprio olho?" (Lucas 6:49). "Portanto, abandonemos o costume de julgar uns aos outros. Em vez disso, apliquemos nosso coração em não colocar qualquer pedra de tropeço ou obstáculo no caminho do irmão" (Romanos 14:13).

Como nasci em uma família fervorosamente católica, por parte de mãe, com o tempo, depois que li a Bíblia pela primeira vez, aos 13 anos, percebi que o meio ambiente cultural em que a pessoa foi educada se sobrepunha, muitas vezes, aos valores religiosos. As pessoas, mesmo quando possuem um bom coração, são suscetíveis a preconceitos e julgamentos, simplesmente porque a maioria age assim, sejam preconceitos religiosos, raciais ou de qualquer natureza, e fazem isso com naturalidade reproduzindo crenças arraigadas que se estendem por gerações sem perceberem a incongruência com os ensinamentos religiosos.

No meu caso, eu percebia claramente a incongruência da prática das pessoas em relação aos ensinamentos de Jesus... Percebi que, muitas vezes, a prática religiosa se dá em função de um forte condicionamento cultural e familiar em que as pessoas agem no piloto automático e naturalmente se desconectam e interpretam ao seu bel-prazer os ensinamentos das tradições religiosas das quais fazem parte.

Há um grande preconceito entre as religiões cristãs e é muito comum católicos criticarem espíritas e evangélicos e vice-versa. Quem comunga dessa prática, faz isso com as melhores das intenções, pois cada um se julga dono da verdade e costuma utilizar, nessas discussões, a máxima de que é mais importante ter razão do que ser feliz, mesmo que para isso contrariem a base dos ensinamentos dos grandes mestres.

A minha impressão é de que essa intolerância vem diminuindo. O meu sonho é de que um dia acabe. A palavra *religião* tem como base a palavra latina *religare*, que significa religação, reconexão com o divino. O que observei é que, muitas vezes, as práticas religiosas estão mais próximas do *desligare*, desconexão, pela forma como os valores mais elevados são comumente deixados em segundo plano e isso, por incrível que pareça, é feito em nome de Deus.

Passei, então, a não levar muito em consideração a religião que a pessoa segue e sim a sua atitude perante a vida. São as nossas ações e os nossos comportamentos que falam por nós mesmos, se estamos vivenciando uma prática de conexão ou de desconexão. Os nossos resultados na vida são proporcionais a essas atitudes, comportamentos e ações que revelam de fato quem nós somos.

Entendo que se praticarmos ter um bom coração e só fizermos aos outros o que gostaríamos que fizessem conosco, estaríamos praticando a Lei de Ouro que conecta todas as tradições espirituais e estaríamos conectados a valores espirituais elevados com uma prática religiosa por excelência, independentemente de fazer parte de uma religião institucionalizada ou não. Então, essa é outra reflexão que quero trazer. Valorize mais a essência das pessoas e não os rótulos. É a nossa ação no mundo que revela quem nós somos.

No livro *Dhammapada*, uma coletânea de textos do Buda Shakyamuni, no verso 50, vemos uma passagem que aborda o não julgamento na visão budista: "Que ninguém encontre defeitos nos outros. Que ninguém enxergue as omissões e as fraquezas alheias. Mas que cada um veja seus próprios atos, feitos ou não". No livro *Old Path while clouds*, o monge budista vietnamita Thich Nhat Hanh, indicado ao Nobel da Paz, relata um diálogo entre Buda e o asceta Dighanaka, que era amigo de Sariputta, um discípulo de Buda. Considero esta passagem esclarecedora sobre a temática da intolerância religiosa:

> Uma vez que a pessoa é capturada pela crença em uma doutrina, ela perde sua liberdade. Quando se torna dogmática, a pessoa acredita que sua doutrina seja a única verdade e que as outras doutrinas sejam heresias. Todas as disputas e conflitos surgem dessas visões estreitas. Elas podem se alongar sem fim, perdendo tempo precioso e às vezes até levando a guerras. Apego a visões é o grande impedimento no caminho espiritual. Quando é limitado por visões estreitas, uma pessoa se torna tão confusa que não é mais possível deixar a porta da verdade aberta.[42]

No diálogo, Buda segue explicando que seus ensinamentos não são uma doutrina nem uma filosofia e sim o resultado da experiência direta:

> Meu objetivo não é explicar o Universo, mas ajudar a guiar os outros a terem uma experiência direta da realidade. Palavras não podem descrever a realidade. Apenas a experiência direta nos habilita a ver a verdadeira face da realidade. Meus ensinamentos são um meio de prática, não algo para se agarrar e adorar. Meus ensinamentos são como uma balsa usada para atravessar o rio. Apenas um tolo carregaria

---

[42] O Dedo Não é a Lua. Traduzido por Leonardo Dobbin. *Viver Consciente*. Disponível em: <http://www.viverconsciente.com/textos/dedo_nao_e_lua.htm>.

a balsa ao andar pela outra margem depois de tê-la alcançado. De ter alcançado a margem da liberação.

E Buda conclui dizendo:

> Meus ensinamentos não são um dogma ou uma doutrina, mas não há dúvidas de que algumas pessoas vão tomá-los como tal. Eu devo declarar claramente que meus ensinamentos são como um dedo apontando para a Lua e não a própria Lua. Uma pessoa inteligente faz uso do dedo para ver a Lua. Uma pessoa que apenas olha o dedo e o toma pela Lua, nunca verá a Lua real.

Essa reflexão trazida pelo Buda Shakyamuni sempre foi uma fonte de inspiração para o meu trabalho, assim como sempre procuro me inspirar nas reflexões dos grandes mestres de todas as tradições espirituais que ressoam no meu coração. Eu costumo dizer aos meus alunos que os conhecimentos que compartilho são como um dedo apontado para a Lua, mas não são a Lua, parafraseando Buda. Depois eu explico que aquilo que compartilho faz parte dos meus estudos e que sempre procuro aplicar e vivenciar, para ver se há fundamento prático naquilo que estudo.

Por isso, eu recomendo que as pessoas sejam cientistas de si mesmas, para que procurem falar de suas próprias experiências e não vivam apenas a falar das experiências alheias sem terem vivido a sua própria. Só quando experimentamos é que podemos validar ou não aquilo que estudamos e é assim que adquirimos credibilidade diante das pessoas.

Sempre defender dogmática e fervorosamente aquilo que nunca vivenciou na prática tenderá a conduzi-lo a uma prática de desconexão com a dimensão espiritual e com a sua verdade interior. Às vezes, coloco a minha imaginação para trabalhar e imagino como seria um congresso em que pudéssemos nos teletransportar no tempo e reunir num mesmo ambiente seres da envergadura de Jesus Cristo, Buda, Lao Tsé, Sai Baba, Osho, Alan Kardec, Yogananda, Francisco Cândido Xavier, Gandhi, Madre Teresa de Calcutá, São Francisco de Assis, Krishna e Maomé. Será que eles iriam brigar entre si para defender os seus pontos de vista para demonstrar a sua superioridade perante os demais ou esse encontro seria uma celebração em que um se veria no seu exato lugar de honra e reconhecendo a importância dos demais?

Cada um no seu tempo e usando a linguagem do seu tempo para comunicar verdades universais voltadas para o bem comum. Eu imagino que seria uma grande celebração. É assim que acontece com as pessoas que expressam as suas ações com sabedoria e humildade. Elas simplesmente ocupam o seu lugar de honra e não estão em busca de competir para saber quem é o melhor. O que as move é o sentimento de cooperação e de abundância e de aprendizado ininterrupto, além de desapegar-se do orgulho pelas ações que realizam.

Na verdade, tudo o que fazemos e manifestamos em nossa vida se dá num processo de cocriação com a inteligência que tudo rege, Deus, a consciência cósmica, o campo quântico ou o nome que você preferir dar, ou não. Em certo sentido, tudo já existe em estado potencial, imaterial e somos apenas o veículo que possibilita ao Universo, Deus, se manifestar através de nós.

Por isso, é saudável termos uma postura humilde diante das sincronicidades e da capacidade de manifestarmos a nossa realidade de maneira consciente para que não cortemos o elo com essa fonte e comecemos a nos comportar de forma arrogante, como se fôssemos os donos da verdade e fiquemos presos ao nosso eu inferior. Isso é bobagem.

Há uma passagem milenar relativa aos ensinamentos dos vedas que nos orienta no sentido de desapegar-nos do resultado que obtemos com as nossas ações. Devemos procurar sempre agir sem pensar no retorno que obteremos, apenas por uma questão de dever, de compromisso com a nossa própria consciência de buscar fazer sempre o melhor: "Sem se apegar aos frutos das atividades, deve-se agir por uma questão de dever, pois no trabalho sem apego a pessoa alcança Deus" (Bhagavad Gita 3:19).[43]

---

[43] SOUZA, M. S. Atividades Humanas no Pensar Vedanta. *Somos Todos Um*. Disponível em: <http://www.somostodosum.com.br/clube/artigos/autoconhecimento/atividades-humanas-no-pensar-vedanta-11209.html>.

Fico muito feliz de ver líderes religiosos do nosso tempo, como o Papa João Paulo II, o Dalai Lama e o atual Papa Francisco, estimulando o ecumenismo, o diálogo entre todas as religiões para motivar uma cultura de paz e distanciar-nos do dogmatismo e do fundamentalismo religioso, que costumam levar as pessoas a vivenciarem o *desligare*, que representa uma profunda desconexão com as Leis Espirituais Universais que regem a vida no nosso planeta e no Universo.

Exercitar a tolerância religiosa incrementará o nosso quociente de inteligência espiritual, assim como o exercício da humildade. Lembre-se também de treinar não se tornar vítima da raiva, que é uma emoção inútil e destrutiva. Existe uma frase popular que diz: "Existem dois momentos em que se deve manter a boca fechada – nadando e quando você está zangado, com raiva".

Estamos no final da nossa jornada de compartilhar esses conhecimentos com você. E se chegou até aqui, não foi por acaso. O meu desejo é de que este livro possa inspirá-lo a lapidar os seus tesouros internos, cuidando cada vez melhor de si interiormente, vivendo com propósito de maneira empoderada e conectada com tudo e com todos.

Que a sua transformação possa alegrar a sua alma e o seu espírito, e possa trazer saúde e paz de espírito ao seu corpo-mente. Que o seu salto quântico na vida seja exemplar e possa também inspirar outras pessoas no caminho do seu coração. Que a vida seja farta e abundante e que você dê sempre o seu melhor para que também desfrute do melhor que habita no âmago do seu ser. Recomendo que comece a pensar em realizar coisas impossíveis. Isso te dará motivação extra para o salto quântico. Pense grande!

"O impossível é apenas uma possibilidade que você não acessou ainda."

Afirmações para nutrir a alma

1. A sua prosperidade é proporcional ao seu potencial de servir. Quanto mais você serve, mais próspero você é. Quanto mais

você doa, mais você recebe. Descubra a prosperidade dentro de você. Doe-se mais!

2. Manter o coração quentinho e a respiração profunda e tranquila é um excelente remédio para a alma ferida. Cure-se!

3. O aprendizado é um processo incessante. Seja um aluno aplicado na vida. Jamais se canse de aprender e evoluir, pois isso significa, em certo sentido, morrer. Ninguém nasceu para viver aqui como um morto-vivo. Ressuscite-se!

4. Declare-se filho convicto da Inteligência Suprema do Universo e herdeiro legítimo de todas as habilidades genuínas do criador.

5. Exercite viver com confiança quântica. Viver com medo não é uma opção. Viver dominado pelo medo é falta de opção. Escolha viver com amor, que é o antídoto do medo, e traga significado à sua vida. Otimize-se!

6. Escolha viver em um estado de abundância interior, compreendendo que a prosperidade é um estado mental que reverbera no seu mundo exterior.

Avante!

Qual o tamanho do seu Salto Quântico?

Opa! Já ia esquecendo que eu havia feito um questionário de perguntas no primeiro capítulo referentes ao teu estado atual, naquele momento. Agora é a hora de você falar do seu estado futuro. Gostaria que você voltasse ao capítulo 1 e respondesse as mesmas perguntas que te fiz, agora, após ter concluído o livro. E me diga, qual o tamanho do seu Salto? Ou seja, o quanto esses conhecimentos te oportunizaram olhar

para você e para a vida a partir de uma nova perspectiva? Você continua no mesmo lugar de sempre, ou acredita que se movimentou? Qual a sua perspectiva agora? Quais são os seus sonhos hoje? Está pronto para fazer a diferença no mundo? Você pode me enviar um email para wallace@saudequantum.com e compartilhar o seu momento atual.

Observe o que mudou nessa jornada e se você está convencido de que pode mesmo estruturar um novo eu e contar uma nova história para si mesmo, a partir de um novo roteiro, de um novo cenário em que seu novo personagem está preparado para acessar as infinitas possibilidades de ser feliz, próspero e saudável. Quando você tomar a decisão de dar o primeiro passo já não estará no mesmo lugar.

Avante!

Referências bibliográficas

AAMODT, Sandra. *Bem-vindo ao seu cérebro*. 3. ed. São Paulo: Cultrix, 2015.

AMAO, Alberto. *Cura sem remédios*. São Paulo: Cultrix, 2017.

ARTIGAS, Ana. *Inteligência relacional*. São Paulo: Literare Books International, 2017.

BECKWITH, Michael B. *The answer is you*. Los Angeles: Agape Media International, 2009.

BEGLEY, Sharon. *Treine a mente, mude o cérebro*. Rio de Janeiro: Objetiva, 2008.

BENSON, Herbert. *Medicina espiritual*. Rio de Janeiro: Campus, 1998.

BRADEN, Gregg. *A matriz divina*. São Paulo: Cultrix, 2008.

—. *Efeito Isaías*. São Paulo: Cultrix, 2010.

—. *Segredos de um modo antigo de rezar*. São Paulo: Cultrix, 2009.

CHILDRE, Doc L et alii. *Heart Intelligence*. Cardiff: Waterfront Press, 2016.

CHILDRE, Doc L. *The HearthMath solution*. Nova York: HarperCollins, 1999.

CHOPRA, Deepak. *Supergenes*. São Paulo: Alaúde, 2016.

DAVIS, William. *Barriga de trigo*. São Paulo: Martins Fontes, 2014.

DETHLEFSEN, Thorwald. *A doença como caminho*. 12 ed. São Paulo: Cultrix, 2010.

DISPENZA, Joe. *Breaking the habit of being yourself*. 4. ed. Carlsbad: Hay House, 2013.

—. *Evolve your Brainstorming*. Deerfield Beach: HCI Books, 2007.

—. *You are the placebo*. Carlsbad: Hay House, 2014.

DUHIGG, Charles. *O poder do hábito*. Rio de Janeiro: Objetiva, 2012.
DWECK, Carol S. *Mindset*. São Paulo: Objetiva, 2017.
GOLEMAN, Daniel. *Foco*. Rio de Janeiro: Objetiva, 2014.
GOSWAMI, Amit. *O médico quântico*. São Paulo: Cultrix, 2006.
HART, Carol. *Segredos da serotonina*. São Paulo: Cultrix, 2010.
HELLINGER, Bert. *Ordens do amor*. São Paulo: Cultrix, 2007.
JAWORSKY, Joseph. *Sincronicidade*. 5. ed. Rio de Janeiro: Best-seller, 2010.
KEDOUK, Marcia. *Tarja preta*. São Paulo: Abril, 2016.
KNIGHT, Rob. *A vida secreta dos micróbios*. São Paulo: Alaúde, 2016.
LIPTON, Bruce H. *A biologia da crença*. Penha: Butterfly, 2007.
MARTÍNEZ, Odile F. *Minha vida anticâncer*. Rio de Janeiro: Sextante, 2016.
MCTAGGART, Lynne. *The intention experiment*. Nova York: Atria paperback, 2013.
NEWBERG, Andrew. *Como Deus pode mudar sua mente*. São Paulo: Prumo, 2009.
PERCY, Allan. *A dieta espiritual*. Rio de Janeiro: Sextante, 2017.
PERLMUTTER, David. *Amigos da mente*. São Paulo: Paralela, 2015.
PERT, Candace. *Conexão mente corpo espírito para o seu bem-estar*. São Paulo: ProLíbera, 2009.
—. *Molecules of emotion*. Nova York: Schribner, 2003.
RINPOCHE, Sogyal. *O livro tibetano do viver e do morrer*. 11. ed. São Paulo: Palas Athena, 2008.
ROSA, Tommy; SINATRA, Stephen. *As 8 leis espirituais da saúde*. Rio de Janeiro: Sextante, 2017.
RUIZ, Miguel. *A voz do conhecimento*. Rio de Janeiro: Best-seller, 2007.
SERVAN-SCHREIBER, David. *Anticâncer*. Rio de Janeiro: Objetiva, 2008.
TOLLE, Eckhart. *O poder do agora*. Rio de Janeiro: Sextante, 2002.
TUTU, Desmond. *O livro do perdão*. Rio de Janeiro: Valentina, 2015.
ZOHAR, Danah. *O ser quântico*. Rio de Janeiro: Best-seller, 2006.
WOLMAN, Richard N. *Inteligência espiritual*. Rio de Janeiro: Ediouro, 2002.

Este livro foi impresso pela gráfica Bartira em
papel pólen bold 70 g em abril de 2024.